LA LIGNÉE DES DRAGONS

TOME 4

LA GUERRE
DES IMMORTELS

STÉPHAN BILODEAU, DANY HUDON

ET

ELISE SIROIS-PARADIS

Éditeur : François Doucet
Révision linguistique : Féminin Pluriel
Correction d'épreuves : Nancy Coulombe, Carine Paradis
Design de la couverture : Matthieu Fortin
Montage de la couverture : Matthieu Fortin
Images de la couverture et de l'intérieur : Mylène Villeneuve
Mise en pages : Sébastien Michaud
ISBN papier 978-2-89667-258-5
ISBN numérique 978-2-89683-039-8
Première impression : 2010
Dépôt légal : 2010
Bibliothèque et Archives nationales du Québec
Bibliothèque Nationale du Canada

Éditions AdA Inc.
1385, boul. Lionel-Boulet
Varennes, Québec, Canada, J3X 1P7
Téléphone : 450-929-0296
Télécopieur : 450-929-0220
www.ada-inc.com
info@ada-inc.com

Diffusion
Canada :   Éditions AdA Inc.
France :   D.G. Diffusion
                Z.I. des Bogues
                31750 Escalquens — France
                Téléphone : 05.61.00.09.99
Suisse :   Transat — 23.42.77.40
Belgique :   D.G. Diffusion — 05.61.00.09.99

Imprimé au Canada

Participation de la SODEC. SODEC

Nous reconnaissons l'aide financière du gouvernement du Canada par l'entremise du Programme d'aide au
développement de l'industrie de l'édition (PADIÉ) pour nos activités d'édition.
Gouvernement du Québec — Programme de crédit d'impôt pour l'édition de livres — Gestion SODEC.

Nous tenons à remercier tous ceux qui ont participé de près ou de loin à cette merveilleuse aventure.

Un merci particulier à tous nos testeurs : Françoise Cuerrier, Dominic Turcotte, Jessyca Bilodeau, Bianca Bilodeau, Pascale Bouchard, Michel Giroux, Rick Ouellet, Claudie Mailloux, Antoine Leclerc, Maxime Charron, Émanuelle Pelletier Guay, Raphaël Michaud, Marc-Olivier Deschênes, Carol-Ann Pouliot, Thérésa Bernier-Larochelle, Ambre Erouart, Rémi Gagné, Vincent Leclerc, André Hudon, Julien Trekker, Chantal Lambert, Frédéric Laberge, Amélie St-Pierre, Laurie Roy, Patrick Labonté, Tamara Vézina Asselin et Raphaël Néron.

Nous adressons plus particulièrement de profonds remerciements à notre extraordinaire dessinatrice, Mylène Villeneuve.

TABLE DES MATIÈRES

PRÉAMBULE

Ça me fait tout drôle. Cette fois-ci, plutôt que de retourner en l'an 5000 pour aller dans une nouvelle époque, nous allons le faire directement d'ici, de l'an 3000. Nous pourrions simplement charger nos médaillons et les utiliser pour retourner sous le dôme avant de faire autre chose, mais il y a trop de risques. Les jumeaux se sont échappés vers la Renaissance, et nous en savons trop peu sur le fonctionnement

de l'espace-temps pour risquer un détour :
nous devons les poursuivre maintenant !

Ce dernier voyage n'a vraiment pas été
de tout repos. Je dois dire que me retrouver
avec Sir et Iref dans une époque aussi
pauvre et dépravée n'était déjà pas une
partie de plaisir. Nous étions bien loin des
vertes forêts elfiques et des accueillantes
grottes naines que j'avais visitées en l'an
500, accompagnée de Sir et Mog. Même
les imprévisibles montagnes du Nord ou
les terres asiatiques regorgeant de ninjas
assassins ont eu tendance à me manquer.
Je regretterais même le dôme. Ici, le ciel est
perpétuellement masqué de nuages de
pollution, et impossible de faire un pas
dehors sans tomber sur des mendiants,
des individus louches ou, pire, des membres de gangs de rue modifiés cybernétiquement et qui veulent vous tuer à coups
de pistolet laser. Je me demande comment
les humains ont pu en arriver là sans
réagir. Vraiment, c'est une joyeuse époque !

Mais en plus, il a fallu que nous ayons
comme guide la femme la plus insuppor-

table du quatrième millénaire : Chame. Une accro à la chirurgie esthétique, aux armes à feu et aux motos, complètement matérialiste.

Enfin… C'est vrai que je me plains, mais nous n'aurions probablement pas pu trouver mieux, comme guide. Étant une haute gradée de la Résistance — un groupe organisé, en guerre contre les gouvernements et les forces centrales, et responsable de la dépravation actuelle —, elle a pu nous fournir une aide précieuse et nous présenter aux bonnes personnes.

Et puis, lors de nos premières recherches, nous sommes tombés sur JA-311. Oh! ce petit bout de chou me fait fondre, dès que je pose mon regard sur ses grands yeux bleus! Bon, d'accord, c'est un robot, mais ça ne l'empêche pas de nous prendre, Sir et moi, pour ses parents.

Des parents qui en ont vu de toutes les couleurs! Parce que, juste après que Sir l'a «adopté», le père et le fils se sont fait capturer par les forces centrales. J'ai rarement été aussi inquiète que lorsque nous organisions leur évasion. Je me sentais démunie, comme si l'on m'avait pris une partie de mon âme.

Mais je n'étais pas au bout de mes peines. Une fois Sir de nouveau près de moi, il a littéralement fallu lui ouvrir la tête pour déloger la puce de localisation que les forces centrales y avaient installée. À mon grand dam, notre petit robot a insisté pour que cette puce soit non seulement enlevée, mais remplacée par une autre, permettant à son possesseur de bénéficier d'incroyables capacités physiques.

Entre-temps, j'ai découvert dans une vision que les jumeaux, qui nous avaient accompagnés à cette époque, mais dont nous avions été séparés, étaient en réalité des descendants des dragons noirs liés aux forces centrales et bien décidés à nous éliminer. Cela m'a profondément blessée.

Quand Sir a été remis de son opération, lui et moi avons alors ouvert les hostilités (moi plus que lui, il faut dire). L'elfe appréciait cette nouvelle force dont il bénéficiait, alors que moi, je la craignais et ne voulais pas d'une chose pareille, chez lui. Mais la hache de guerre est devenue une flèche de Cupidon, quand le conflit s'est réglé dans un baiser... Nos sentiments réciproques en ont mis du temps à se déclarer...

Après tout ça, nous sommes partis en guerre contre les forces centrales. Les jumeaux nous ont attirés auprès de leur arrière-grand-père, un pur dragon, contre lequel nous avons dû nous battre. Nous nous en sommes sorti blessés mais victorieux, et les trois dragons noirs ont été forcés de fuir dans le temps.

Nous sommes présentement toujours en l'an 3000, en plein chargement des médaillons et de la machine. Une fois ceux-ci chargés, nous partirons vers l'an 1500, à la Renaissance, pour accomplir notre mission et traquer les jumeaux.

Par contre, j'appréhende notre retour en l'an 5000. Nous aurons alors modifié le cours de deux époques. Je me demande quelles conséquences cela aura sur ce que j'ai toujours connu...

CHAPITRE 1

ADIEUX À L'ÉPOQUE SOMBRE

— ADRIA !

Je me retourne alors que j'allais pénétrer dans le dortoir. Iref se dirige vers moi en courant, une boîte sous le bras.

— Salut, frérot.

Il s'arrête près de moi et reprend son souffle.

— Ouf… Ça fait deux heures que je te cours après, bon sang ! Pourquoi n'étais-tu pas dans la salle temporelle pour le chargement?

— J'y suis allée ce matin. Là, je reviens… d'une course plutôt épuisante. J'allais me reposer. Qu'est-ce qu'il y a?

En réalité, après le chargement, je suis tombée sur Chame, qui m'a traînée de force dans une boutique pour nouveau-nés. J'ai dû l'aider à choisir des grenouillères jusqu'à ce qu'elle pique une crise, sans doute à cause des hormones, parce que le hochet qu'elle voulait n'était pas disponible en rose. J'ai mis près d'une heure à la calmer, puis on est rentrées.

— Je voulais te donner ça.

Il sort de la boîte une bouteille de teinture capillaire noire et un sac de papier blanc, qu'il me tend.

— C'est tout? dis-je en saisissant les objets. Tu m'as couru après pendant deux heures pour ça? T'aurais pu les laisser sur mon lit, tu sais.

— Oui, mais je voulais te dire aussi: j'ai terminé de charger mon médaillon tout à l'heure, et Terwa a commencé le dernier, celui de Sir. Alors, il faudra commencer à sérieusement se préparer pour le voyage. La date a été fixée au 13.

— Dans deux semaines, déjà ?

Je me sens soudain très nerveuse. Je n'aime pas particulièrement cette époque, bien au contraire. Avec sa pollution, sa noirceur permanente, sa pauvreté, sa dépravation et surtout Chame, qui, enceinte de trois mois déjà, me fait subir tous ses caprices de magasinage et ses crises hormonales. En réalité, j'ai même hâte de la quitter. Mais c'est la première fois que je voyage directement d'une époque à une autre sans d'abord repasser par la mienne. La téléportation avec la machine de l'an 5000 comprenait déjà assez de risques comme ça... Celle de l'an 3000, les jumeaux l'ont construite à eux deux, sans l'aide de personne, avec une technologie moins avancée... et nous n'avions pas de techniciens spécialistes pour nous appuyer, lors de notre départ. Cette fois-ci, Abok devra choisir quelques assistants dans les rangs de la Résistance et faire avec. Qu'il utilise une machine temporelle pour la première fois, et seul, qui plus est… disons que je ne suis pas rassurée.

— Ah non ! Tu ne vas pas déjà recommencer !

— De quoi tu parles ?

— À tous les coups, j'ai l'impression que tu vas nous faire une crise cardiaque ! Tu deviens pâle comme un linge et tu te mets à trembler. Bon sang, Dridri ! De nous tous, tu es celle qui peut se vanter d'avoir fait le plus d'allers-retours dans le temps et d'en être sortie indemne. Relaxe ! Attends au moins d'être dans la machine pour paniquer !

Je prends quelques respirations pour me calmer.

— Désolée, frérot. T'as raison ! Je dois apprendre à me relaxer…

— Bon…, ça, c'est le sac de Sir. Ses verres de contact, sa crème et une perruque sont à l'intérieur, en plus du costume.

— De la crème ?

— Ben ouais… Pour son visage… Ici, la peau noire, ça peut passer pour une mutation due à des produits chimiques ou à des radiations quelconques. Mais dans ce temps-là, il n'y avait pas de produits chimiques, et on dit que la magie était mal vue. On brûlait ceux qui étaient accusés de sorcellerie ou de trucs du genre. Alors, logiquement, on peut croire qu'à cette époque, les elfes avaient déjà disparu, même si nous allons en l'an 1500 et que Fraden avait mentionné 1507. Donc, vaut mieux, plutôt que de simplement cacher son visage, directement le maquiller. Ce n'est pas pour rien non plus que lui et moi, nous allons nous retrouver avec des lentilles. Tu peux mettre ça sur le lit de Sir et lui annoncer la bonne nouvelle, quand tu le verras ? Moi, je vais aller me laver la tête pour essayer ma nouvelle couleur.

— Qui est ?

— Châtain. J'en avais marre du blond, et le noir, très peu pour moi !

Il se dirige vers la salle d'eau, me laissant fatiguée, avec deux sacs sur les bras et une future épée de Damoclès au-dessus de la tête. Après quelques minutes, le regard dans le vague, je finis par rentrer dans le dortoir. Comme d'habitude, il est vide. Je jette le sac de Sir sur son lit. Il se renverse, et une longue perruque blonde en sort.

Une fois arrivée près de mon lit, je pose la bouteille de teinture sur ma table de chevet, ouvre le sac et en retire ma robe. Elle est bleue et mauve avec des broderies simples. À force d'arguments et de menaces, j'ai réussi à échapper au corset.

Bloquant la porte de loin avec de la glace, pour éviter de me faire surprendre, j'entreprends d'essayer mon nouveau vêtement. J'ai à peine le temps de l'enfiler que l'on frappe à la porte.

— Maman est là ?

D'un geste de la main, je dégèle la serrure.

— Tu peux entrer, JA.

Le petit robot se faufile dans la pièce et me regarde avec ses grands yeux bleus.

— Oh! Maman est vraiment jolie!

— Merci, JA. C'est gentil…

Je fais apparaître un miroir de glace pour me mirer. En effet, la robe me va plutôt bien. JA-311 se place à mes côtés, dans le reflet, et se met à tourner autour de moi.

— Est-ce que je pourrais avoir quelque chose comme ça, moi aussi?

— Si tu veux. C'est vrai qu'on n'a pas encore pensé à ton hologramme. On demandera à Abok de…

Je réalise soudain ce que JA vient de me demander et me penche sur lui.

— Attends une seconde…, tu veux une robe, JA?

— Pourquoi pas?

— Mais…, tu es un garçon, non?

— En réalité, je suis un robot familial de dernière génération, modèle JA-311, de la compagnie SED+ inc. Étant un robot familial asexué, je peux me définir en tant que garçon ou fille, selon les préférences de ma famille. Le programme démarre automatiquement cette analyse des préférences après un certain temps d'adoption, et le mien a été enclenché il y a quelques jours.

Je regarde le robot avec des yeux ronds. S'il ne me l'avait pas dit, je n'aurais jamais été capable de le considérer autrement que comme un garçon.

— Je vois… OK, alors… Mets-moi en communication avec Abok, je vais lui demander de te programmer ça.

— Merci, maman!

Le nez du petit (ou de la petite?) se met à clignoter de joie. Il se fige un instant, émet une tonalité, puis la voix d'Abok se fait entendre :

— Al… Allô. Ici Abok. Qui est à… à l'appareil?

— Bonjour, c'est Adria. C'est à propos de l'hologramme de JA, pour la Renaissance…

J'expose la demande de JA-311 à Abok, qui ne semble pas surpris du tout. Il répond que ça lui fera plaisir et que JA peut même venir immédiatement. Ce sera réglé dans moins de 30 minutes. Mais il me rappelle tout de même que l'utilisation d'un hologramme complet comme costume est un procédé expérimental qui risque de ne pas être totalement au point pour le départ. Je lui réponds que, de toute façon, on n'a pas le choix. C'est le seul gadget capable de camoufler JA aux yeux des badauds de la Renaissance.

Dès que la communication est coupée, JA, surexcité, détale vers la porte, pour la recevoir en plein front quand son père entre dans la salle.

— Oups! Désolé! Rien de cassé, JA? Tu…

L'elfe arrête sa phrase quand ses yeux se posent sur moi. J'avais oublié qu'il y a un moment qu'il ne m'avait pas vue en robe. Depuis peu après notre première rencontre, en fait. Je portais une robe de paysanne médiévale, avant de m'acheter mon armure.

— Papa pense aussi que ta robe te va très bien, maman, parce que son pouls vient d'augmenter de 15 battements par minute, la chaleur de son corps de 3,1 degrés, et…

— Ça va, JA ! Elle a compris ! lance Sir, énervé et aussi rouge qu'un elfe noir peut l'être.

Je vire au rouge également, regrettant que JA soit toujours en train d'analyser les changements qui affectent Sir.

— Tu ne devais pas aller voir Abok, toi ? lui dis-je pour le faire déguerpir.

— Oh oui ! Oh oui ! Attends de voir ça, papa !

Notre nain doré se précipite dans le couloir, sous les yeux interrogatifs de l'elfe.

— Tu es venu ici pour quoi ?

— Oh… Je… Ah oui ! Je te cherchais. J'ai croisé Iref dans le couloir et…

Je me renfrogne aussitôt.

— … et il t'a dit que je paniquais déjà, je me trompe ?

— Ben…, entre autres, oui…

— J'en ai assez qu'il se mêle de tout, celui-là ! Deux mille ans ! Deux mille ans de technologie séparent ces deux machines ! Il y avait déjà assez de risques avec la première, j'ai bien le droit de m'inquiéter !

Je suis vannée. À fleur de peau. Énervée. Furieuse. Je ne devrais pas être aussi en colère, mais avec les chargements, qui m'épuisent physiquement, et les crises de Chame, qui le font mentalement, en plus de tout ce qui s'est rajouté aujourd'hui, ça commence à me peser, et j'ai besoin de me défouler sur un truc.

Rageuse, je me retourne pour asséner un coup de poing à mon miroir de glace, qui me renvoie mon image. Image éphémère, comme l'est chaque chose en ce monde. Image renvoyée par un objet périssable, né du néant et de ma magie. Un objet qui a fait ce pour quoi il avait été créé et qui peut maintenant disparaître comme toute chose devenue inutile.

Sir est près de moi en une fraction de seconde et m'arrête la main sans le moindre effort. Maudite puce !

— Calme-toi, allons… Tout le monde panique un peu avec tout ça…, mais on s'était mis d'accord pour y aller directement avec la machine de cette époque, pour éviter un détour qui permettrait aux jumeaux d'augmenter les dégâts…

— On ignore si ce détour donnera plus ou moins de temps aux jumeaux ! On l'ignore ! On ignore même si les jumeaux ne sont pas bloqués dans le néant de l'espace-temps et si l'on ne fonce pas présentement tête baissée pour les rejoindre ! On ignore tout ça ! On n'en a aucune idée ! On préfère prendre le risque de finir en poussière plutôt que rentrer en l'an 5000 tout de suite avec les médaillons, et essayer d'atteindre la Renaissance de là, avec 1000 fois moins de risques ! On est des vrais cinglés !

Sir me prend par les épaules et me force à le regarder.

— Oui. Oui, c'est vrai. On ignore comment fonctionne le temps, une fois que l'on a modifié son cours. Moi plus que quiconque, je comprends tout ça. Mais ce que je comprends, justement, c'est que personne n'en sait rien ! Tes voyages de plusieurs mois ne duraient que trois secondes, à ton époque ; par contre, maintenant, il ne s'agit plus de simples allers-retours, mais de plusieurs millénaires qui se chevauchent, on ne peut plus prendre de risque. Depuis combien de temps les jumeaux sont-ils à la Renaissance, tu crois ? Quelques jours ? Quelques mois ? Un an ou deux ? Quand crois-tu que les changements qu'ils y font vont nous atteindre ? Dans quelques secondes ? Quelques jours ? Jamais ? Justement, on n'en sait rien ! Rien de rien du tout ! C'est pour ça que, dès que la machine et les médaillons seront chargés, on doit aller là-bas au plus vite, en espérant qu'il n'y ait rien d'irréparable. On arrivera peut-être trop tard… On se retrouvera peut-être à jamais dans le néant… Passer par l'an 5000 n'aurait peut-être aucune conséquence. La seule chose dont je suis sûr, c'est que la meilleure chance que nous ayons de les arrêter, c'est de partir le plus rapidement possible sans faire de détour…

Je sais qu'il a raison. Je sais tout ça. Je reprends tranquillement mon calme. Me rapprochant de Sir, je m'appuie sur lui, la tête sur son épaule. Il me passe les bras autour du corps et m'enserre. Je ferme les yeux. J'ai envie de pleurer.

— Je suis fatiguée, Sir… J'en ai assez de tout ça… J'ai hâte de rentrer au dôme et… Non, pas de rentrer au dôme, mais à mon époque, quand il n'y aura plus de pollution et que l'on pourra vivre sans dôme… J'ai hâte d'être à ce moment où j'aurai terminé ma mission… On pourra vivre une vie normale… Tous les deux, ensemble…

— Moi aussi, j'ai hâte, Adria. Mais d'ici là, on n'a pas le choix… Il faut retrouver les jumeaux et les empêcher de nuire…

— Je sais…

— Et puis, une vie normale… Je te rappelle que tu es une descendante des dragons, et moi, un elfe… Tu es sûre qu'on pourra se résoudre à vivre comme ça ?

— Idiot…

L'elfe noir m'embrasse la tête et me caresse le dos pour tenter de me rassurer. C'est inutile. Le simple fait d'être dans ses bras m'apaise. Après un moment, mes mains glissent également vers son dos, nous nous balançons doucement au son d'une musique muette. Je lève la tête vers lui et Sir se penche sur moi. Malheureusement, c'est à ce moment-là qu'Iref entre en trombe dans le dortoir, une serviette autour du cou et les cheveux, nouvellement châtains, encore humides. Super synchronisme, le grand frère! J'avais oublié qu'avec lui, qui déteste l'eau, les douches durent rarement plus de dix minutes, alors que moi, je peux m'y prélasser des heures.

— Woh! Je dérange, j'ai l'impression!

Je me sépare de Sir. Mi-déçue par l'interruption et mi-amusée par le regard piteux d'Iref.

— Pas plus que d'habitude, frérot. Je crois que c'est la cinquième fois, ce mois-ci… Tu viens de battre ton record du mois dernier!

— Parce qu'elle fait des comptes, la sœurette ? fait-il avec son sourire moqueur.

— Pas besoin de faire des comptes ! lui lancé-je. On s'en souvient ! Peut-être que le jour où tu auras aussi quelqu'un, tu apprendras à frapper avant d'entrer !

— Avec des manières pareilles, ce n'est pas demain la veille qu'il aura une petite amie ! rétorque Sir avec un grand sourire malicieux.

— Tu me cherches, l'elfe noir ? dit Iref en balançant sa serviette sur le sol.

— Viens te battre, la salamandre ! répond Sir, amusé.

Les deux idiots semblent décidés à engager un combat amical. Ce sont bien des gars… Moi, l'idée ne me plaît pas trop. Je m'interpose :

— On se calme, les gars ! Ce n'est ni le moment ni l'endroit pour…

— Salut, tout le monde !

Une minuscule fillette se glisse dans la salle. Elle est très joufflue, possède de grands yeux bleus, de longs cheveux blonds frisés et une robe verte couverte d'une quantité industrielle de dentelle. Je ne l'ai jamais vue de ma vie, mais sa voix et les petits bruits métalliques qu'elle fait en marchant ne trompent personne.

— JA! s'exclament Sir et Iref, abasourdis.

Pour ma part, je suis littéralement pliée en deux par le rire, cherchant mon souffle.

— Oui, papa! Oui, tonton! C'est moi! JA-311! Comment me trouvez-vous?

Sir a la bouche grande ouverte et ne semble pas savoir comment réagir. Iref, lui, au contraire, s'emporte :

— Par le feu des enfers! JA! C'est quoi, ce truc?

— La couleur ne me va pas? demande JA en examinant sa robe. Du bleu, ça irait?

Le petit robot cesse de bouger un instant, et dans un grésillement électrique, la robe change de couleur.

— Comme ça?

— Ce n'est pas la couleur, JA! C'est la robe!

— Tonton préfère les jupes?

Iref a le sang qui lui monte aux joues devant l'incompréhension innocente du robot. Pour ma part, je reprends peu à peu mes esprits, me mordant tout de même le poing pour parvenir à me contrôler.

— Allons… Ha! ha! ha! Calme-toi, frérot! Si JA est une fille, on vient de trouver quelqu'un de parfait pour toi, qui t'aime déjà beaucoup! Ha! ha! ha!

Iref se retourne vers moi.

— Une femelle dans l'équipe, c'est déjà suffisant!

Piquée au vif, je fais face à mon frère.

— Tu sauras que la femelle, c'est ta petite sœur, et elle t'a entendu!

— Justement! La famille, c'est un vrai poids, quand elle est composée de filles!

— Tu sauras que le poids t'a déjà sauvé la vie!

— La belle affaire!

— Espèce de…

— ON SE CALME!

Sir a retrouvé ses esprits et sa voix amplifiée par la puce nous arrête net, moi et mon frère. Sans faire grand cas de notre dispute, il se tourne vers le robot.

— Et toi, JA, tu vas me faire plaisir et enlever tout de suite cet accoutrement ridicule…

— Mais papa…

— Il n'y a pas de « mais » qui tienne ! Tu es un garçon, bon sang ! Habille-toi en garçon !

Le robot désactive l'hologramme dans un grésillement, nous laissant voir sa véritable apparence. À la taille du robot, une espèce de ceinturon noir et couvert de projecteurs miniatures semble être le dispositif holographique. JA-311 regarde son père furieux un instant, puis se tourne vers moi.

— Maman, est-ce que je suis un garçon ?

— Je crois bien que oui…

Son nez se met à clignoter et ses yeux, à briller. Il sort ensuite de la salle en criant :

— Je suis un garçon ! Un garçon ! Il me faut un pantalon !

— Ce robot va me rendre fou... murmure Iref.

J'éclate aussitôt de rire devant son expression désespérée.

❋ ❋ ❋ ❋ ❋

Nous partons aujourd'hui.

Le pauvre JA-311 s'est vu interdire de s'habiller en fille à l'avenir, bien que cela ne soit plus dans ses intentions, ayant déterminé qu'il était un garçon. Il a fait changer son hologramme pour celui d'un mignon garçonnet aux boucles noires, aux yeux bleus, un peu bouffi et habillé simplement d'un gilet brun pâle et d'un pantalon de cuir. Il n'aurait aucun mal à se faire passer pour mon véritable fils.

J'ai maintenant retrouvé mes cheveux noirs aux reflets bleus. J'ai eu un grand choc, lorsque je me suis regardée dans le miroir, après la douche. Au milieu de la buée, pendant une seconde, j'ai cru voir Della. Je ne ressemble pas vraiment à ma cousine — après tout, nous n'avons pas le moindre lien de sang —, mais sur le coup, j'ai vraiment eu peur.

Je vais abandonner ici mes vêtements de l'an 3000 et mon révolver. Par contre, j'ai gardé mon couteau à lame dentelée, bien caché sous ma robe, sait-on jamais…

Chame fait soudain irruption dans le dortoir.

— Adria, tu es prête ?

— Heu…, oui, j'arrive…

— Attends de voir Sir ! Hi ! hi ! hi !

Elle me prend par la main et me traîne jusqu'à la salle temporelle. Je suis tellement stressée que je me laisse mener. Dès qu'elle ouvre la porte, j'entends deux voix, que je reconnaîtrais entre mille, se disputer :

— Pourquoi est-ce que moi, je dois subir ce truc et que toi, tu peux le garder ?

— Parce qu'un tatouage, c'est déjà plus subtil que de la peau gris-bleu ! Voilà pourquoi !

— On te remarque à des lieues à la ronde avec un rouge aussi vif !

— Qu'est-ce qu'il y a? lancé-je, découragée.

— Ah! Adria! Dis donc à ton frère que si je dois me camoufler le visage derrière cette pâte dégoûtante, il doit aussi le faire avec son tatouage!

— Mais qui…

Je me fige un instant avant de me mettre à pouffer de rire. Je ne peux même plus m'arrêter et dois m'accrocher à Chame pour ne pas tomber.

Je n'avais même pas reconnu Sir! Sa peau a été blanchie grâce au maquillage, ses yeux ont été pourvus de verres de contact verts et la pointe de ses oreilles est cachée sous un chapeau d'époque noir. Il porte aussi une chemise blanche et ample avec un long manteau vert forêt sans manches, brodé de feuilles, un pantalon brun, une ceinture et des souliers de cuir avec des attaches en métal. Il a boudé la perruque pour garder ses cheveux blancs, mais la différence est, de toute manière, minime.

Il a un faible sourire devant ma réaction.

— J'ai vraiment l'air ridicule, hein?

— Pas plus que d'habitude… lance Iref en s'approchant. Mais tu ne seras plus le bel elfe noir de service, c'est tout. Vois ça du bon côté, je n'ai jamais vu Adria si détendue avant un voyage.

Les yeux de mon frère sont maintenant du même bleu que les miens. Il porte un chandail à manches courtes, noir comme son pantalon, une ceinture, une veste sans manches rouge, des souliers de cuir et deux épaisses protections de cuir aux poignets.

Je reprends mon souffle.

— Ha! ha! ha! ha… Bon, je m'excuse de te décevoir, frérot, mais Sir a raison… Je ne crois pas que ce soit une très bonne idée de le laisser comme ça… Ce n'est pas vraiment subtil…

— Mais…

— Oh, et puis tais-toi! dis-je fermement en reprenant mon sérieux. Je sais que ton tatouage est sacré pour toi, mais il le faudra bien! Regarde Sir et JA. Ils ont tous les deux totalement sacrifié leur apparence pour la suite, alors arrête tes caprices! T'as 76 ans, à la fin!

Une fraîche brise fait frissonner la salle. Avec le voyage qui arrive et ces enfantillages de mon frère, je ne suis pas d'humeur.

— OK…, t'as gagné!

Mon frère prend brutalement le pot de crème que lui tend Sir, qui affiche son sourire malicieux, et sort de la salle pour trouver un miroir.

— Allez, tout le monde! s'écrie Jeff. Le spectacle est fini, au boulot!

Tout à coup, une grande activité, qui devait avoir cessé au début de l'affrontement, reprend dans la salle. On vérifie de nouveau les paramètres, on apporte les derniers réglages, on examine les branchements, etc. Sir me propose d'aller m'asseoir dans un coin. Je le suis sans rechigner.

Une fois assise, je me colle sur lui, cherchant du réconfort au creux de ses bras, mais quelque chose de dur fait une bosse sous son manteau.

— Aïe ! C'est quoi, ce truc ? Tu apportes quelque chose ?

— Un arc rétractable et une douzaine de flèches télescopiques. Cadeau d'Abok et de JA. C'est ce qui a mis le feu aux poudres avec ton frère, avant que la dispute dévie sur son tatouage. Je te rappelle que ça a tout pris pour qu'il n'emporte pas de fusil. Quand il a appris que je prenais avec moi une arme qui comprend de la technologie, il a fait une scène !

— Ne t'inquiète pas... Ça va lui passer...

— Je sais...

Il met son bras sur mes épaules, et j'appuie ma tête sur la sienne. Après un moment, Dave nous apporte nos médaillons, cette fois-ci réellement chargés (les jumeaux avaient voulu, lors de notre dernier voyage, nous faire prisonniers de cette époque en ne rechargeant pas nos médaillons avant le départ), il nous dit adieu et bonne chance. C'est ensuite au tour de Mike, de quelques autres membres de la Résistance, et finalement de Chame, collée sur Terwa, de nous faire leurs adieux. Chame me prend dans ses bras et me murmure à l'oreille qu'elle me souhaite de trouver le bonheur avec Sir, avant de partir à sangloter sur mon épaule. Ah là là... Elle me manquerait presque...

L'heure approche. Présentement, je donnerais tout pour que mes pouvoirs me permettent de prédire la suite.

Jeff fait un grand discours, dans lequel il rappelle notre implication dans la révolution qui a permis de sauver le pays et bientôt le monde, puisqu'il compte exterminer les forces centrales dans le reste du globe, à présent que leur chef a disparu et que la Résistance a accès à d'importantes données les concernant. Il finit en nous remerciant au nom de la terre et de son époque, et en nous faisant des adieux solennels.

Je dois avouer que je ne l'écoute qu'à moitié. J'ai mal au cœur, en pensant à ce qui va suivre.

Une fois que Jeff a terminé, tout le monde prend son poste dans la salle et Abok s'approche de nous avec un JA-311 surexcité sur l'épaule.

— Co… Comme vous allez dans une épo… époque privée de technologie, j'ai fait une vérification com… complète de ses circuits et je lui ai téléchargé des do… données qui pourraient vous être utiles. Des trucs sur l'épo… époque, les coutumes, les vampires, entre autres… Rien ne dit que vous… vous allez en croiser, mais juste au cas où… Après tout, ce sont vraiment d'horribles monstres et…

— Oh oui! Oh oui! Des monstres buveurs de sang, qui ont les yeux rouges et…

— Ça va, JA! Si on croise ces bestioles, tu nous sortiras ton charabia, l'interrompt Iref, qui revient de sa séance de maquillage.

De toute façon, si j'ai bien tout compris, il n'y a pas de grandes chances pour que ça arrive… Bon, allez, c'est l'heure…

J'ai un frisson devant le visage de mon frère débarrassé de son tatouage. Mais bon, j'aurai tout le temps de m'y faire, une fois là-bas…

— On y va… déglutis-je.

Cette fois-ci, je suis contente de porter une robe, parce qu'ainsi, les autres ne voient pas mes jambes trembler. Je ne lâche pas la main de Sir. Nous traversons la salle sous les murmures et les derniers « bonne chance » qu'on nous lance. Mike nous tient ouverte la porte de la machine. Nous nous y engouffrons et elle se scelle derrière nous. Le silence est tel que j'entends les battements de mon propre cœur.

— Je vous aime, les gars…

— Ah non ! Je suis déjà assez nerveux comme ça, moi aussi ! Ne dis pas « je vous aime, les gars » comme si c'était la fin ! se fâche Iref.

— Désolée…

Je me tortille sans cesse les doigts, me retenant de me jeter dans les bras de l'un ou l'autre. Nous devons nous tenir espacés, pour éviter les risques de fusion moléculaire. Sir n'arrête pas de nous jeter des regards, et Iref grince des dents, comme il le fait souvent lorsqu'il est énervé. Seul JA-311 semble parfaitement calme, et même heureux de la perspective d'un voyage dans le temps.

5

Le compte à rebours commence.

4

J'ai l'impression que mon cœur va lâcher.

3

Je jette un coup d'œil aux deux autres. Sir a les yeux fermés et se tient immobile. Iref serre les mains dans une prière.

2

J'essaie de retrouver mon calme. Ce n'est toujours que ma sixième escapade temporelle… Pas vrai ?

1

Je serre les dents et les poings. Retour en arrière impossible.

0

Les lumières bleues tournent autour de moi, me voilent la vue, aspirent mon âme et mon corps, et la mort revient me faire sentir sa présence dans le vide absolu des couloirs du temps.

CHAPITRE 2

L'ARRIVÉE

— Hoooooooooooo !

— Adrrrriiiiaaaa !

— Nous tombons, nous tombons ! Mayday, mayday ! Bip, bip. Impact dans dix secondes, neuf, huit…

Que se passe-t-il ? J'ai mal au cœur. Ma tête tourne et tourne. Non, c'est plutôt mon corps qui tourne sur lui-même.

Deux respirations plus tard, je constate avec affolement que je suis en pleine chute libre! Je tombe la tête vers le sol... ou plutôt vers le ciel? Impossible de m'orienter, je tourne sans arrêt. Désemparée, je commence à paniquer. Mon cœur se serre et ma vue s'embrouille. Je suis consciente que, si je ne fais pas quelque chose maintenant, nous allons tous nous écraser.

— Maudit! Adrrrriiiiaaaa, réagis! crie Iref d'une voix tremblotante.

— Il reste six secondes avant l'écrasement. Mayday, mayday, nous — bip — JA. Cinq, quatre...

Je lance devant moi un jet de glace, espérant pouvoir nous accrocher à une paroi quelconque. Mais le jet disparaît rapidement sous mes yeux. Je fais une deuxième tentative, cette fois-ci avec plus d'intensité. Malheureusement, le tournoiement me déstabilise et le filet de glace se perd littéralement dans le ciel. Désespérée, je me mets à bombarder dans tous les sens.

— Aïe! Adria, pas sur moi! hurle Sir, recevant un jet sur le visage.

— Adriiiia! Fais quelque chose! me crie de nouveau Iref.

Mon état affolé et ma vision brouillée ne me facilitent pas la tâche. Je dois absolument reprendre mes esprits. *Vite, Adria! Vite! Reprends ton souffle!*

— 181 degrés vers le sud, me chuchote une petite voix. 198 degrés, 201 degrés, 242 degrés.

— En direction de tes pieds, Adria! me crie Sir. Vise tes pieds, quand je te le dirai!

Étant toujours dans l'impossibilité de m'orienter, je me fie à la voix de Sir. Je me concentre dans la direction de mes pieds et, tremblotante, j'attends son signal.

— *Go*, Adria, *Go…*

Dès la première syllabe, je fais apparaître une quantité colossale d'eau, que je transforme aussitôt en neige, espérant ainsi amortir notre chute.

Une seconde plus tard, nous atterrissons sur cette immense masse froide légèrement compressible. Malgré tout, le choc est violent et nous sommes propulsés instantanément sur les fesses.

— Aïe !
— Ouch !
— Ouille !
— Bip !

Nous finissons notre course en glissant jusqu'à la base d'une montagne givrée.

Deux minutes de pause sont nécessaires pour reprendre notre respiration.

— Il s'en est fallu de peu ! dis-je en me frottant le bas du dos.

— Que s'est-il passé ? lance Sir, qui a littéralement changé de couleur, ayant perdu une partie de son maquillage dans la neige humide.

— Chute libre de 20,3 mètres. Mouvement accéléré descendant sous l'effet de la pesanteur. Vitesse d'accélération de 10 mètres par seconde au carré.

— Quoi ? Mais où es-tu, JA ?

— Ici, Pa, répond JA en utilisant la puce de Sir comme relais et ses cordes vocales comme haut-parleur.

L'eau que j'ai produite a littéralement changé le sol en une grande mare de boue épaisse.

— Ici, papa, récidive la petite voix.

Sir plonge la main dans ce bassin noir et, dans un mouvement de va-et-vient, la ressort en agrippant JA par le cou.

Le pauvre. Il est totalement recouvert de vase. Même ses mignons petits yeux naturellement bleu ciel sont d'un noir absolu.

— Bon! À première vue, le petit semble bien aller. Que s'est-il passé, au juste? Pourquoi sommes-nous tombés dans le vide? redemande Sir en prenant soin, cette fois-ci, de clarifier sa question, tout en utilisant son grand manteau pour nettoyer JA.

— C'est ce foutu voyage dans le temps, rétorque hargneusement Iref, tout en m'aidant à me relever. Cette foutue machine est notre pire ennemi.

— Je ne connais pas grand-chose sur les voyages temporels, ajoute Sir, mais ne serait-il pas possible qu'en fait, ce voyage nous déplace dans le temps, mais en nous laissant toujours au même endroit dans l'espace? Comme nous sommes partis du 138e étage d'un édifice, il serait naturel d'arriver dans le vide, vu que l'édifice n'était pas construit, en l'an 1500.

— Tu as raison, le beau-frère.

— Tiens! Tu es d'accord avec moi? D'accord avec cette théorie? J'en suis flatté. Je crois aussi que c'est logique.

— J'ai juste dit que tu as raison. Tu as raison de penser que tu ne connais rien du tout aux voyages temporels.

Une réplique qui ne laisse pas Sir indifférent, bien sûr. Comme ferait tout bon gars, Sir saute précipitamment sur Iref. Propulsés dans cette boue noire, nos deux amis entament de nouveau une bataille des plus amicale, qui a néanmoins pour effet de réduire à néant leur maquillage, à grands coups de gadoue visqueuse. C'était bien la peine de piquer une crise…

Normalement, je serais intervenue, mais les voir ainsi jouer comme deux enfants me rend plutôt heureuse. Ces petits gestes démontrent bien que le frérot a finalement accepté Sir dans notre grande famille. Évidemment, JA ne comprend pas la logique de leur réaction et, malgré mon acharnement à lui expliquer les fondements de l'amitié et les comportements parfois étranges qui en découlent, il semble tout à fait déstabilisé.

Pendant qu'Iref et Sir s'obstinent avec diplomatie sur les théories des voyages dans le temps, de mon côté, je scrute les environs avec soin. J'ai alors la sensation d'être observée.

— Les gars! Les gars!

L'endroit est désert, mais je sens une présence.

— LES GARS!

Vu mon insistance, nos deux golems de boue s'empressent de me rejoindre. On dirait deux gamins qui viennent de découvrir un étang où jouer. Ils sont couverts de vase de la tête aux pieds.

— Qu'y a-t-il, Adria? Toi aussi, tu trouves que Sir ne devrait pas s'exprimer sur les sujets qu'il ne connaît pas vraiment? lance Iref en accompagnant ses paroles d'un coup d'épaule à Sir.

— Je crois que nous avons un problème plus urgent ici, les gars. J'entends des bruits de pas qui se dirigent dans notre direction.

— Des pas? Mais il n'y a pas de bruits dans cette ruelle, Adria. Je dirais même que cet endroit est anormalement calme, confirme Sir.

Nous étions apparus (ou plutôt tombés) au sud d'une petite ruelle délimitée par de grosses pierres massives empilées les unes sur les autres, servant probablement de façade à ce qui pourrait être des habitations. Le brouillard recouvrant les lieux et le ciel légèrement éclairé nous laissent présumer que la nuit fera place au jour d'ici une heure ou deux, tout au plus. Toutefois, Sir a raison : puisque notre arrivée a été mouvementée, il serait normal d'être quelque peu dérangés.

Mais au contraire, il règne ici un silence étrange : aucun aboiement de chien, aucun cri d'oiseau, pas même quelques curieux voisins réveillés dans leur sommeil… Néanmoins, en me concentrant, j'arrive à entendre, provenant du nord de la ruelle, des pas qui se dirigent dans notre direction.

— Et ils proviennent d'où, ces pas, Adria ? demande Sir.

— De sa tête, s'empresse d'ajouter Iref avec le sourire moqueur qu'on lui connaît.

Sauf que cette fois, il le retire aussitôt, car quelques secondes plus tard, trois silhouettes se dessinent au fond de l'allée.

— Vous voyez bien que je ne suis pas folle ! affirmé-je en pointant les trois ombres en mouvement.

— Pas folle, mais quand même étrange, murmure Iref. Avouons-le, ces types sont à environ trente mètres. Personne de normalement constitué ne pourrait entendre des pas à cette distance !

D'un regard, Sir confirme qu'il est d'accord avec Iref, mais ni l'un ni l'autre

n'ose s'étendre sur le sujet. Ils ont probablement senti que je n'étais pas d'humeur
à me justifier.

— Et maintenant, qu'est-ce qu'on fait ?
On se cache ou bien… ? demandé-je, un
peu angoissée.

— Je suggère le « ou bien ». Rien ne
nous dit que ces hommes sont hostiles,
argumente Sir. Ils pourront peut-être nous
aider ? Après tout, il faut commencer notre
investigation quelque part.

— Je ne sais pas comment ça se passe
chez vous, l'elfe, mais chez les gens normaux, quand tu vois trois hommes curieusement vêtus qui s'avancent vers toi à
quatre heures du matin dans une ruelle
sombre, ça n'augure rien de bon ! lance Iref
avec la prudence d'un chef.

Sir se tourne vers JA-311, comme s'il
attendait son appui.

— Tu es d'accord avec Iref ou avec
moi, JA ? Perçois-tu une certaine hostilité
provenant de ces hommes ?

— À dire vrai, Pa, cette fois-ci, je suis
avec tonton. Tu sais, moi, des hommes qui

n'ont pas de pouls et qui marchent sont généralement classés comme des êtres insolites. En fait, je n'ai pas tellement de renseignements à ce sujet. Finalement, on devrait peut-être...

— Quoi? criai-je, interrompant le petit.

— Quoi? Pas de pouls?

— Oui! C'est ça, papa, pas de pouls! Ils ont le sang froid et des griffes aux doigts. Des vampires, quoi! ajoute tout naturellement le petit, heureux qu'on s'intéresse soudain à lui.

— Une information que t'aurais pu nous dire plus tôt, la machine! Maintenant, il est trop tard pour se sauver; la seule sortie est derrière eux. Regroupez-vous, je crois qu'on va devoir faire connaissance, lance Iref avec fermeté. Sir, envoie-leur un cadeau de bienvenue. Ça devrait les faire réfléchir.

Sir s'exécute avec la précision qu'on lui connaît et fait atterrir deux flèches à quelques centimètres des hommes. N'importe qui aurait réagi avec peur à cet avertissement, principalement en voyant la distance qu'ont parcourue ces flèches. Mais au contraire, les trois colosses continuent leur route sans ralentir le pas. Le plus costaud, probablement le chef de la bande, agrippe une flèche au passage et, dans un geste brusque et provocateur, la rompt d'une seule main.

— Savez-vous quelle force ça demande, pour fracasser ainsi une telle flèche ?

— Oui, oui, JA, on a compris.

— Oui, vous savez ou oui, vous voulez le savoir ?

Je pose la main sur l'épaule de JA pour le rassurer, mais aussi pour qu'il comprenne qu'il doit rester tranquille.

— Voyons s'ils seront aussi courageux, une fois en feu.

— Attends, frérot ! On va plutôt les congeler. De cette façon, on pourra les observer.

— L'idée me convient, acquiesce Sir, mais cette fois-ci, essaie de ne pas nous refroidir aussi.

— OK, Adria, transforme ces lourdauds en glaçons, ajoute Iref en s'empressant de se positionner derrière moi.

Quelques secondes plus tard, la ruelle est entièrement transformée en palais de glace bleutée. J'ai bien sûr évité la zone derrière moi pour épargner les gars. La glace est d'une incroyable densité, et tout, des plus petits cailloux aux plus grosses pierres, en est entièrement recouvert. À vrai dire, je suis assez fière de ma prestation.

Je ne vois pas très bien l'état des brutes, mais chose certaine, ils sont maintenant freinés.

— Bon, voilà les gars, dis-je en me retournant vers mes compagnons. Il ne nous reste plus qu'à aller voir à quoi ressemblent ces célèbres vampires.

— Mais Ma, m'alerte JA en me tapant sur la cuisse, les vampires avancent vers nous.

— Mais c'est impossible !

En me retournant, je constate qu'effectivement, nos trois silhouettes sont de nouveau en mouvement et quoique cette attaque semble les avoir surpris, elle n'a pas eu l'effet escompté. Maintenant, leur agressivité est évidente, et ils avancent au pas de course. Je me concentre de nouveau et, cette fois-ci, je vise directement la tête, afin d'être certaine du résultat. Mes trois jets atteignent bien leur cible. Les vampires s'immobilisent quelques secondes, mais repartent à l'assaut, comme si rien ne s'était passé.

— Catastrophe !

Maintenant qu'ils sont à quelques mètres de nous, nous pouvons mieux les distinguer. À première vue, ils sont d'apparence humaine. Taille, constitution, démarche tout à fait ordinaires. Ils portent même les habits de l'époque. À l'exception du chef, qui semble préférer les couleurs sombres. Cependant, en regardant bien, j'aperçois quelques signes distinctifs. Leur teint est curieusement blanchâtre, et ils possèdent d'étranges canines terriblement aiguisées, d'un blanc parfait. Quoique l'un d'eux ait quelques rougeurs aux dents et les lèvres d'un rouge très vif. Probablement le résultat de son dernier repas. Ils ont également les yeux rouges. Bien que ce soit commun pour nous (je pense à mon frère, à Sir et aux jumeaux), sur les humains, c'est plutôt rare. Ils possèdent également des ongles anormalement longs et très effilés. Curieusement, je remarque qu'ils sont minutieusement manucurés.

Je ne sais pas si c'est leur attitude naturelle, mais à les voir approcher, la bouche entrouverte, salivant comme des animaux, j'aurais plutôt tendance à croire qu'ils nous perçoivent davantage comme leur prochain repas que comme leurs nouveaux amis.

Voyant la situation dégénérer, Sir arme son arc et projette avec force trois projectiles en plein cœur de nos visiteurs. Seulement, avant même que j'aie pu voir les conséquences de son attaque, une immense boule de feu décolle des mains d'Iref et va exploser sur les trois créatures. L'explosion est si spectaculaire qu'elle nous aveugle littéralement. Un nuage de

fumée noire nous empêche de voir exactement l'effet du feu; cependant, les cris des
vampires nous convainquent avec joie de
l'efficacité de l'attaque.

Après quelques secondes, la fumée se
disperse, laissant place à trois petits tas
d'os bien grillés.

— Eh bien, voilà! Voilà comment
on doit faire, lance fièrement Iref. C'est
comme ça qu'on doit traiter avec ces vampires. Des questions?

— Bravo, frérot!

— Qui vous dit que ce ne sont pas mes
flèches qui ont fait tout ça? lance Sir, le
sourire aux lèvres.

— Tonton Iref?

— Quoi encore? Oui, oui, je connais la
chaleur et la vitesse de ma boule de feu.

— Tonton Iref?

— QUOI?

— Les squelettes…, ils bougent.

Incroyable! Sous nos yeux, les trois
paquets de restes carbonisés s'animent et
reprennent une forme humaine. Ce qui
n'était, il y a quelques secondes à peine,

qu'un gros tas d'os brûlés est maintenant en train de reformer de la chair et des muscles. La régénération de leur corps est spectaculaire et se fait à une vitesse folle. Le temps que nous constations ce qui se passe, ces êtres démoniaques ont repris leur état d'origine. Ce qui est étonnant, c'est que ces trois vampires n'ont pas la moindre brûlure apparente.

— C'est impossible, lance Iref, estomaqué.

— Je crois, les amis, que nous avons un très gros problème, ajoute Sir, tout aussi dépourvu.

— Approchez-vous, ordonné-je en tirant JA par la main. Malgré mon épuisement, je devrais être capable de nous protéger.

Sans perdre un instant, en me servant des trois façades de pierre comme points d'ancrage, je fais apparaître un dôme de glace tout autour de nous.

— Ça va nous laisser un peu de temps pour préparer un plan. Mais faites vite, je ne sais pas combien de temps je vais pouvoir le maintenir, dis-je d'un ton épuisé.

— Bonne idée, sœurette, mais à dire vrai, que peut-on faire contre ces créatures?

Pendant ce temps, à grands coups de griffes, les trois vampires testent la résistance de notre bouclier. À voir la force de frappe de ces créatures, je comprends qu'il vaut mieux ne pas avoir à les affronter à mains nues. Et comme ils résistent au froid et au feu, que pouvons-nous faire? Heureusement, après quelques minutes sans résultats concrets, ils repartent à la course par où ils sont venus.

— Telles des bêtes, ils ont finalement capitulé, dit Iref, soulagé de ce dénouement.

— Je ne crois pas, ajoute Sir sans expliquer sa pensée. JA, as-tu des données à ce sujet?

— Attends, Pa. Voilà! Les vampires sont dotés d'une intelligence supérieure à celle des hommes.

— Merci, JA. Alors, tout indique qu'ils vont revenir en force et, cette fois-ci, outillés, complète Sir. Nous avons peu de temps devant nous.

— Très bien, alors, il faut donc se trouver une planque, et vite !

— Tonton, définis-moi « planque » ?

— Une planque, c'est une planque, franchement. Tu sais, une cachette, une maison, une grange avec des portes à verrou. Faut-il tout lui expliquer ?

— JA a une carte des lieux. Une carte qui date de plusieurs années, mais dont les renseignements ne devraient pas être erronés.

— Et qu'est-ce que tu attends pour nous dire où aller ? lance Iref, légèrement irrité.

— Pourquoi tonton est-il fâché après JA-311 ? JA-311 n'a rien fait de mal. Snif, snif.

— Bien sur que non, mon petit, dis-je en posant la main sur son épaule. JA n'a absolument rien fait de mal. Tonton va s'excuser de son attitude. C'est juste que tonton n'a pas compris qu'il doit te poser des questions claires, s'il veut que tu y répondes. Il est vraiment désolé et va faire attention, la prochaine fois. Il a beaucoup de peine de t'avoir parlé ainsi.

— Tonton a dit tout ça?

— Pas encore, fiston, pas encore, mais il va le faire à l'instant…, n'est-ce pas, Iref?

— Heu…

— Iref! Dis à JA à quel point tu es désolé… Iref!

— Oui, oui, ça va, je suis désolé, JA. Je vais faire attention. Et maintenant, trouve-nous un endroit sécuritaire avec des portes qui se barrent.

— Bien sûr, tonton! Avec ou sans animaux dans la grange?

— Grrr!

Deux minutes plus tard, JA nous a trouvé les coordonnées d'une belle petite grange abandonnée, à quelques minutes des lieux. Espérons maintenant qu'elle s'y trouve encore.

Nous quittons la ruelle avec empressement, mais dès que nous tournons le coin de la venelle, j'ai de nouveau la sensation d'être observée et, cette fois-ci, par plusieurs observateurs.

— Accélérons le pas, suggéré-je. Nous sommes suivis et, cette fois, c'est très sérieux.

Sir, voyant ma fatigue, m'agrippe et me dépose sur son épaule droite. Son épaule gauche étant déjà occupée par le locataire quasi permanent, JA-311. Et, comme si de rien n'était, il démarre sa course à pleine vitesse. Iref suit derrière avec orgueil. Je le surprends même à s'accrocher subtilement au gilet de Sir, afin de garder le rythme.

— Tu vois, Adria, à quoi peut servir une puce… me lance Sir.

CHAPITRE 3

JA ET SES THÉORIES

Une fois à bout de souffle, nous apercevons au coin d'une ruelle la vieille grange en question. Les deux portes à battants sont entrouvertes, nous laissant croire qu'elle est abandonnée. Nous nous y glissons rapidement pour fuir nos poursuivants. Quelques minutes de plus et ils nous auraient rattrapés! Ces vampires sont vraiment inépuisables!

En entrant à toute vitesse dans le bâtiment, je remarque un trait de poudre blanche sur le sol, derrière les portes. Nous n'avons pas le temps de nous y attarder pour l'instant ; rapidement, nous barricadons l'entrée à l'aide de planches de bois. Sir utilise sa force herculéenne pour déplacer des objets lourds devant celle-ci. Un immense bureau de bois, deux caisses emplies d'objets et même une vieille carriole pourrie par le temps.

— Et maintenant, on croise les doigts, chuchoté-je pour ne pas révéler notre présence.

— Je vais vérifier s'il n'y a pas d'autres accès, nous informe Sir.

Sur ces derniers mots, il s'élance. À l'aide de sa rapidité bionique, il fait le tour du bâtiment et revient, à peine quelques secondes plus tard, à nos côtés. Selon lui, l'endroit semble sûr.

Maintenant, Iref et moi sommes juste derrière cette vieille porte, prêts à toute éventualité. L'attente est insupportable. Aucun bruit ne se fait entendre. Parfois, le calme est pire que la tempête. Sachant qu'ils sont intelligents, je suis certaine qu'ils sont tout près... En train de se demander comment ils vont nous capturer.

Après quelques longues minutes, nous concluons qu'ils sont probablement retournés sur leurs pas. Mais soyons réalistes, ce n'est qu'une question de temps avant qu'ils reviennent.

Cela nous laisse néanmoins quelques heures pour nous concentrer sur les événements à venir.

L'endroit ressemble à un vieil entrepôt délabré, où le propriétaire ne serait pas venu depuis des dizaines d'années. Des caisses en bois et des objets de toutes sortes recouverts de draps reposent dans tous les coins. Une quantité impressionnante de poussière s'est accumulée sur l'ensemble du sol et des autres surfaces. Étrangement, des gousses d'ail à moitié germées et pourries sont clouées un peu partout sur les murs, diffusant une odeur infecte dans le bâtiment. Quelques carreaux de fenêtres brisés, les autres étant obstrués par la saleté, laissent filtrer de faibles rayons de soleil. Le jour s'est levé.

— Tu parles d'une arrivée rocambolesque! lancé-je.

— Je n'ai jamais rien vu de tel! s'exclame Iref.

— Moi non plus! confirme Sir, fort de son vécu au Moyen Âge où, pourtant, de nombreuses créatures rôdaient sur ses terres.

— Je crois qu'il nous faudra un bon plan avant de ressortir d'ici, dis-je. Sinon, je ne donne pas cher de notre peau!

Je reporte mon attention sur cette poudre au sol. JA suit mon regard, s'en approche et en prend dans sa main.

— Analyse en cours… Analyse complétée! C'est du NaCl!

— Du quoi?

— Couramment utilisé en cuisine, surtout pour la conservation des aliments, cet élément est inodore et piquant au goût. À l'époque romaine…

— JA, JA… JA! l'arrête Iref. Et dans des mots simples?

— Chlorure de sodium, sel…

— Aaaah! Du sel! Et voilà! Franchement, JA… Pas besoin de savoir que le troisième empereur de Chine n'aimait pas le chou!

— Mais l'empereur de Chine n'aime pas le chou! C'est le riz qu'il aime, non? commente JA.

— On s'en fout de l'empereur…

JA vient se blottir dans mes bras, secoué par la réplique agressive d'Iref. Je lui tapote doucement la tête pour le consoler et lance un regard noir à mon frère. Je vais finir par croire que les robots peuvent vraiment avoir des sentiments.

Nous nous assoyons sur les caisses poussiéreuses, afin de nous reposer un moment et de réfléchir plus confortablement à la situation. J'en profite pour prendre la main de Sir. Son contact me rassure.

— Le mieux, en ce moment, serait de récolter des renseignements sur nos adversaires.

— Le problème, Adria, c'est que si nous tentons de les espionner avant de passer à l'action, ils nous trouveront en premier et ne feront qu'une bouchée de nous. Tu te rappelles leur rapidité ?

— Aurais-tu peur, l'elfe ?

— Et toi, le cracheur de feu ? Ça ne t'arrive jamais d'avoir peur ?

Iref baisse la tête.

— Dans ce cas, où pourrait-on trouver ces renseignements ? murmuré-je. Peut-être existe-t-il des livres qui pourraient nous en apprendre davantage sur les vampires, dans cet entrepôt ?

Je parcours du regard les caisses et les tablettes pour tenter d'en apercevoir. Je me lèverais bien pour chercher plus efficacement, mais je suis trop fatiguée pour le moment.

— Je me souviens d'avoir étudié les vampires, dans mon cours *Mythes et légendes*. Sauf que je ne croyais pas qu'ils existaient vraiment. C'étaient des créatures très influentes, à la Renaissance. On les surnommait les «buveurs de sang», parce qu'ils se nourrissaient du sang de leurs victimes. Le problème, c'est que je ne me souviens pas de grand-chose d'autre… Tu en as plus retenu que moi, Iref?

— Ah oui! Je me rappelle avoir suivi ce cours aussi… Mais…, en fait, je ne me souviens de rien, parce que je n'y allais presque jamais…

Iref a prononcé la fin de sa phrase dans un souffle. Pour la première fois de ma vie, je le vois rougir et avoir honte. Je crois qu'il vient de réaliser toute l'importance des connaissances que l'on peut acquérir à l'école. Je ne suis pas moi-même une étudiante modèle, j'avoue avoir manqué quelques cours de biocybernétique, mais la majorité du temps, j'allais en cours.

— Mais nous avons JA! lance Sir.

— Oui, oui! Je suis là! Je suis avec vous! JA-311, pour vous servir! répond le petit robot, ne sachant guère pourquoi on vient de le nommer, mais enthousiaste de se faire interpeller.

— Oh non… commence Iref, qui se reprend aussitôt en croisant mon regard. Heu… oui, bonne idée, le beau-frère !

— Avant de partir, explique Sir, Abok m'a expliqué avoir donné plusieurs renseignements sur les vampires à JA. JA, peux-tu nous dire tout ce que tu sais ?

Bien sûr ! JA ne nous a sûrement pas tout dit. Jamais Abok ne nous aurait laissés avec si peu de renseignements face à ces redoutables adversaires.

— Tu as raison, Pa ! Un nouveau fichier intégré dans ma base de données n'a pas été lié à mon moteur de recherche, alors je ne pouvais pas me servir spontanément de ce flux de données.

— Hum… Oui, c'est bien, JA… Alors, qu'as-tu sur les vampires ?

Je souris en voyant la confusion de Sir devant cette explication.

— Ces créatures se nourrissent de sang humain. Leur cœur ne bat pas, donc ils n'ont aucune circulation sanguine. Ce qui fait que la température de leur corps est la même que la température ambiante. Aussi, comme nous avons pu le constater, elles sont dotées d'une vitesse et d'une force surhumaines. Elles ont également été très populaires dans la fiction des années 2000, avant de tomber dans l'oubli en même temps que le monstre mi-loup mi-homme, appelé loup-garou ou lycanthrope…

— Ça, on s'en fout, JA… soupire Iref. Dis-nous plutôt comment les combattre…

— Pour les repousser, il est possible d'utiliser de l'ail. Ça agirait un peu comme une amulette de protection pour qu'ils n'approchent pas leur bouche de notre cou.

— C'est pour ça qu'il y en a partout sur les murs! conclus-je. On a trouvé la planque idéale pour leur échapper!

Je me lève d'un bond, soudain habitée d'une énergie nouvelle. Je trouve rapidement un rouleau de corde sous un tas de paille et fabrique quatre colliers. J'attache à chacun une gousse d'ail pas trop pourrie, avant d'en fournir un à chaque membre de notre groupe. Je dois seulement raccourcir celui de JA, qui pend jusqu'au sol. Ce dernier reprend ensuite ses explications.

— Par contre, leur vraie force réside dans leurs cheveux, ce serait là la source de tous leurs pouvoirs. Si l'on parvenait à couper les cheveux de l'un de ces vampires, il perdrait toute sa force vitale. Également, à en juger par leur habillement, cuir noir et visage blanc, la plupart seraient des joueurs ou des fans de heavy métal.

— Voilà qui va nous aider, dit Iref d'un ton ironique. Nous allons leur faire un concert de métal, où nous serons des vedettes. Ensuite, ils vont nous adorer, plutôt que de vouloir nous bouffer !

Nous éclatons tous de rire. Pour ma part, l'image de Sir avec une guitare électrique s'est imposée à mon esprit et a supplanté toutes les autres.

— Bon, un peu de sérieux ! poursuis-je pour ramener tout le monde à l'ordre.

Des créatures sanguinaires nous attendent à l'extérieur. L'histoire des cheveux est intéressante, quoique je sois sceptique. As-tu autre chose?

— J'ai autre chose, mais…

— Mais quoi?

— J'ai deux données contradictoires dans ma base de données.

— Dis-les et nous jugerons par nous-mêmes de leur crédibilité.

— D'accord. Une autre façon de les tuer serait de les brûler en leur lançant de l'eau bénite. Mais il est aussi écrit ailleurs que ce serait plutôt avec du jus de citron…

Nous analysons un moment ces renseignements. Iref est le premier à s'exprimer.

— Si vous voulez mon avis…

— Non, on ne le veut pas, le coupe Sir avec un sourire en coin.

— Ha, ha! Comique, l'elfe. Personnellement, je trouve ça absurde. Comment un fruit pourrait-il blesser une créature aussi puissante?

— Ouf..., je ne connais peut-être pas les voyages temporels, mais toi, tu ne connais pas les fruits, mon Iref.

— Ce n'est pas parce que j'ai passé ma vie sous un dôme à bouffer de la poudre que je ne sais pas ce qu'est un fruit, tu sauras !

J'hésite à interpréter ces bêtises comme de la complicité entre beaux-frères ou de vraies insultes. Je me contente de soupirer et de continuer à les écouter se narguer.

— C'est très plausible, selon moi. Le citron est un fruit possédant une très forte acidité. Si les vampires ont une peau hypersensible à ce qui est acide, ça peut fonctionner.

Iref, qui ne supporte pas d'avoir tort, s'apprête à répliquer quand j'interviens :

— De toute façon, les gars, je doute fort qu'il nous soit possible d'en trouver ici.

— Tu as raison. Alors qu'est-ce que de l'eau bénite ? Qu'est-ce qu'elle a de spécial, cette eau ?

— Je cherche...

Encore une fois, en quelques secondes seulement, JA a trouvé. Toujours aussi surprenant et efficace ce petit garçon… heum, robot. Je crois que je commence à m'habituer à son costume holographique.

— J'ai de nombreuses images enregistrées dans ma mémoire. Un homme, avec un grand drap blanc en guise de vêtement, qui effectue des gestes étranges au-dessus d'une baignoire… Non, d'un grand bol rempli d'eau.

— Et c'est tout? questionné-je. C'est ça, de l'eau bénite?

En fait, le terme «eau bénite» ne m'est pas totalement étranger. Il évoque de vagues souvenirs relatifs à mes cours d'histoire. Je trouvais ces cours intéressants, mais tellement déprimants que je préférais n'écouter que d'une oreille en dessinant des dragons dans les marges de mes cahiers. (On n'a jamais vraiment eu la bosse des études, dans la famille.) Je crois me rappeler que l'eau bénite est liée à une certaine religion. Bien que j'aie oublié ce qu'est précisément une religion, je me souviens que toutes celles qui existaient ont été négligées dans les années 2300, pour progressivement être abandonnées et même interdites. Justement, personne n'avait fait mention d'une quelconque religion en ma présence, lors de notre séjour de quelques mois en l'an 3000. Tout cela devait déjà être tombé dans l'oubli…

— Il prononce des paroles qui semblent invoquer une puissance supérieure pour qu'elle transmette ses pouvoirs à l'eau. Ça semble amusant !

Je me dis qu'il nous sera donc impossible de trouver une telle eau. La piste sur leurs cheveux semble la seule à laquelle nous puissions nous fier, l'idée du concert de métal n'étant pas très sérieuse. Alors que j'allais commencer à élaborer un plan, JA intervient :

— Je suis certain que je peux reproduire les mouvements pour faire de l'eau bénite. Ça ne semble pas difficile, après tout. Il me faut juste de l'eau et un grand drap !

— Excellente idée, JA !

Nous fouillons dans le désordre de l'entrepôt pour dénicher un contenant. Nous trouvons un grand plat rectangulaire, qui fera parfaitement l'affaire pour le rituel. Iref a aussi trouvé une bouteille vide, qui pourra servir à transporter l'eau, une fois celle-ci bénite.

Sir prend un drap qui recouvrait un vieux fauteuil en lambeaux et le secoue vigoureusement pour ne pas salir JA. De retour avec la couverture blanche, il fait un trou en son centre pour laisser passer la tête du petit robot. Pendant qu'il habille notre maître de cérémonie, je me concentre afin de faire apparaître suffisamment d'eau pour remplir le contenant trouvé.

Lorsque JA passe sa tête par le trou, nous avons tous un mouvement de recul. Son visage est maintenant celui d'un vieil homme ridé et couvert de taches de rousseur, avec du poil gris lui sortant des oreilles. Je souris en me rappelant qu'il peut changer d'hologramme à volonté.

Iref grimace à la vue de cet être hideux, et Sir ne peut s'empêcher de faire un commentaire :

— C'est parfait! À présent, tu ressembles beaucoup plus à ta mère!

Je ne fais ni une ni deux et expédie une boule de glace bien dure derrière la tête de Sir.

— Ouille!

— Et maintenant, il me ressemble toujours?

— Tu... Tu es magnifique, Adria... C'était pour blaguer, tu sais... Je...

J'éclate de rire devant la mine déconfite de Sir. Puis, je m'approche de lui et lui dépose un baiser furtif sur la joue.

— En fait, je ressemble aux hommes sur mes images. Ils ont toujours l'air de ça.

Nous rions tous de cette constatation. Le niveau de détail dont se soucie JA est impressionnant.

Quelques grimaces plus tard, tout est prêt. JA s'installe devant le bol, révise une dernière fois les images et les paroles, afin de ne pas faire d'erreur, et commence le rituel.

Je me souviendrai toujours de cette scène hilarante : JA, recouvert d'un grand drap blanc, dont seuls la tête d'affreux vieillard et les bras de petit garçon en dépassent, parlant tout seul en gesticulant, comme s'il exécutait la danse de la pluie. Ses minuscules bras battant en tout sens alors qu'il bondit d'un pied à l'autre tout en faisant attention de ne pas trébucher sur le drap, trop grand. Hilarant, je vous dis !

C'en est trop, j'éclate bruyamment de rire. Iref et Sir m'imitent, tout aussi amusés que moi par ce spectacle si divertissant. JA s'interrompt, ne comprenant pas pourquoi nous rions.

— Vous ne devez pas être joyeux ! Sur mes images, les gens qui assistent à ces cérémonies semblent tristes. Alors, arrêtez de sourire, si vous voulez que ça fonctionne !

Et il reprend sa danse de plus belle, prononçant des paroles toujours aussi étranges, dans une langue que je ne connais pas. Nous faisons de gros efforts pour garder notre sérieux.

Je remarque que Sir se cache constamment le visage, afin de camoufler son large sourire.

Une quinzaine de minutes plus tard, JA nous annonce fièrement qu'il a terminé, et que nous avons à présent de l'eau bénite pour combattre les vampires les plus redoutables.

Les gars lui retirent son drap pendant que je transvide l'eau dans la bouteille, de manière à ne pas en laisser échapper une seule goutte, grâce à ma magie. Après tout, cette eau pourrait nous sauver la vie, lors des combats à venir. Une fois ma tâche terminée, je dépose gentiment la main sur la tête de JA.

— Bien joué, JA! C'est grâce à toi qu'on a maintenant une arme.

— De rien, maman! Je peux tout faire pour toi et papa. Et aussi pour tonton Iref!

En disant cela, il reprend son apparence de petit garçon et me regarde avec ses yeux brillants qui me font fondre. Je m'accroupis et le serre dans mes bras. Malgré son hologramme, je sens ses petits bras de métal se refermer sur mon cou.

— Faudrait s'assurer que l'eau a été transformée, pense soudain Sir. Iref, tu pourrais la goûter?

— Je ne peux pas boire l'eau de ma sœur. Elle est empreinte de magie, et ça me rendrait malade. Mais toi, tu peux essayer!

— Qui? Moi? J'ai... Je n'ai pas très soif, en ce moment...

Je décide de changer de sujet pour sauver Sir de ce mauvais pas. Je comprends que personne de sensé ne voudrait goûter cette eau. Qui sait ce qu'elle pourrait nous faire, à la suite du rituel?

— Nous dormirons ici, pour reprendre des forces, et attendrons la nuit pour nous déplacer à nouveau. La pénombre nous fournira une bonne couverture.

Nous entamons l'établissement d'un plan pour les événements à venir. Iref et

Sir cherchent activement la meilleure solution pour s'en sortir indemnes et, si possible, éviter un nouvel affrontement. Même si nous sommes maintenant armés et connaissons leurs points faibles, il serait suicidaire de se fier aveuglément aux données de JA. Nous devons donc nous préparer à toute éventualité. Après une trentaine de minutes de consultation, nous en venons tous à la même conclusion : nous devons d'abord trouver un abri plus sûr. Par la suite, nous devrons nous focaliser sur la raison pour laquelle nous sommes venus à cette époque. Nous devons tenter de retrouver Della et Ébrisucto le plus rapidement possible. Si nous trouvons une piste, nous la suivrons. Nous établissons également une tactique de combat, au cas où nous devrions de nouveau faire face aux vampires. Une fois le plan bien mémorisé, nous faisons une sieste. JA promet de veiller sur nous et de nous réveiller s'il capte un bruit suspect. Au crépuscule, nous passerons à l'action.

CHAPITRE 4

UNE TENTATIVE
DANS LA NUIT

La nuit s'annonce claire. Le soleil a disparu
derrière l'horizon montagneux pour céder
sa place à l'astre nocturne. La lune est particulièrement brillante, ce soir, et il n'y a
pas le moindre nuage dans le ciel. Voilà
qui n'est pas un avantage, si nous voulons
passer inaperçus.

Nous commençons par nous assurer
que la rue est vide, avant de nous y aventurer. À droite, à gauche... La voie est

libre… La première chose à faire est de trouver un endroit plus sécuritaire et, surtout plus confortable, où dormir la nuit prochaine. Sur nos gardes, nous parvenons au bout d'une ruelle. Le village semble désert… Tant mieux ! Sir me donne une tape dans le dos pour attirer mon attention. Inutile de préciser que je manque de faire une crise cardiaque.

— Ne me refais plus peur comme ça ! lui dis-je, en colère.

— Mais Adria…

— Chut, vous deux ! réplique Iref d'un ton sec. Il faut rester incognito.

— Voulant dire inaperçu, « incognito » est un mot qui provient du latin.

— Merci, JA… soupire Iref, désespéré.

Je ne peux m'empêcher de sourire devant la nonchalance avec laquelle JA fournit ses renseignements. Comme si c'était chose commune de sortir une définition tirée d'un dictionnaire, lors d'une conversation.

— Ce que je voulais dire, reprend Sir en chuchotant, c'est que ce château au

sommet de la colline me rappelle étrangement l'architecture de mon village natal.

En levant les yeux au loin, je constate
que Sir dit vrai. Surplombant le village, un
grand château se découpe du paysage
montagneux. Il fait effectivement penser
aux majestueuses constructions des elfes
médiévaux. Peut-être y a-t-il toujours des
elfes vivants, en fin de compte ? Je vois
dans les yeux de Sir que lui aussi nourrit le
même espoir.

— Je confirme. Selon mes données,
cela correspond à 72 %. Deux tours de
4,6 mètres et une autre de 5,3 mètres avec
un toit incliné à 79 degrés, le tout
disposé…

— JA…, ça ira comme ça.

— Oui, tonton… accepte JA en baissant les yeux.

Même sous son hologramme de petit
garçon, il est si attachant… Mais cette fois-
ci, Iref a peut-être raison de le faire taire,
ses explications sont réellement inutiles.

— Allons-y ! propose Sir. Les gens qui habitent là voudront sûrement nous héberger.

— Ou nous trucider, ajoute Iref.

— Je ne veux pas prendre de décisions hâtives, mais je suis d'accord avec Sir. Commençons néanmoins par recueillir des renseignements dans le coin… Il y a une maison, là-bas, où il y a encore de la lumière.

Nous nous y rendons en douce, espérant que les habitants de l'endroit voudront bien nous aider. Nous devons d'abord découvrir ce qui a attiré les jumeaux à cette époque. Une fois que nous le saurons, nous pourrons déterminer ce qui nous attend et envisager la suite.

Je prends les devants et frappe à la petite porte de bois. Qui sait, peut-être se laisseront-ils plus facilement convaincre par une jeune fille égarée que par deux abrutis ?

— PARTEZ D'ICI, MONSTRES !

Je suis un peu surprise par la façon dont cet homme m'a répondu à travers la porte toujours close, mais je m'efforce de garder mon calme.

— J'ai besoin d'aide, mon bon monsieur… Pourriez-vous nous renseigner sur ce village?

— JE N'AI RIEN À VOUS DIRE… N'aie pas peur, Martha, je te protégerai… LAISSEZ-NOUS TRANQUILLES, ESPÈCES DE BRUTES! ARRÊTEZ DE SEMER LA TERREUR ET PARTEZ!

Je vois mon frère commencer à fulminer; apparemment, Iref a épuisé toute sa patience, et ces insultes sont de trop.

— Calme-toi, frérot…

— PARTEZ, DÉMONS! hurle de nouveau le vieil homme.

Tout à coup, la porte prend feu et se consume entièrement, en quelques secondes. Iref n'a pas su retenir sa colère. À l'intérieur de la chaumière se trouve un homme bedonnant, ainsi qu'une femme jeune et frêle accrochée à son bras. Surpris et paniqué, l'homme nous lance trois gousses d'ail, dont une m'atteint à la tête. Il recommence aussitôt son manège avec une poignée de poudre, que je reçois en pleine bouche et qui s'avère être du sel. Je me mets à suffoquer, crachant pour me libérer la langue de ce goût horrible, qui me donne la nausée. Je perds finalement mon calme, commençant même à canaliser une grande quantité d'eau devant moi en guise d'avertissement…

À ma droite, je vois des flammes apparaître dans les mains d'Iref, puis monter le long de ses bras pour les envelopper complètement.

Stupéfait par nos pouvoirs magiques et voyant que ses défenses n'ont aucun effet sur nous, l'homme ne supporte pas la pression et s'évanouit, tombant lourdement sur le plancher. Sa femme essaie de le réanimer, mais l'abandonne bien vite pour s'enfuir dans le salon en criant. Sir pose sa main sur mon épaule pour me calmer. Prenant quelques profondes respirations, j'utilise l'eau que je viens d'amasser pour éteindre les flammes d'Iref. Réalisant ce que nous venons de faire, je juge sage de retourner dans la rue et de laisser tranquilles ces pauvres gens.

— J'espère juste que ce n'était pas le maire du village, s'exprime Sir, parce qu'on risque d'avoir de gros problèmes !

— Disons simplement que notre interview a viré à la catastrophe…

— Oui… Heu…, désolé pour la porte… Je me suis un peu emporté…

— Seul Pa a réussi à garder son calme. Pa, c'est le meilleur !

Sir prend JA dans ses bras et lui donne une accolade.

— Merci, fiston ! Toi, tu sais reconnaître un vrai homme !

J'ai cru un instant que Sir allait simplement remercier JA, ça aurait pu être un beau geste paternel de sa part, mais bien entendu, ce beau parleur n'a pas pu s'empêcher d'user de vantardise, du même coup !

— Si j'ai bien compris, analyse Iref, ils nous ont pris pour des vampires ! Et ils étaient prêts à nous recevoir… Alors, je suppose qu'il n'est pas étonnant de voir les vampires sortir la nuit.

Cette dernière phrase nous laisse tous bouche bée. Bien sûr! Les vampires sont peut-être des chasseurs nocturnes, pour ne pas se faire repérer par la population. Nous avons été bêtes de ne pas y penser! Et s'ils sortent réellement la nuit, nous devenons des proies faciles. La prochaine fois, j'y songerai davantage. Sachant que nous risquons un nouvel affrontement, nous redoublons de vigilance tout en empruntant la route du château.

Nous approchons de plus en plus de la forteresse et, pour l'instant, tout va bien. Nous avons déjà parcouru plusieurs rues, encore quelques-unes et nous aurons atteint l'extrémité du village, sains et saufs. De là, gagner le château ne devrait plus être bien long. Mais c'est justement lorsque j'ai cette pensée que le pire arrive. Un vampire saute d'un toit et attaque Sir en le griffant avec ses longs ongles. Une grande plaie s'ouvre sur le bras de l'elfe. Heureusement, Sir a eu le temps de repousser l'assaillant avant qu'il atteigne son cou, qui était manifestement sa véritable cible. Le vampire nous regarde en léchant ses doigts imbibés du sang de notre ami, visiblement satisfait de son premier assaut. La façon avec laquelle il semble se régaler du liquide visqueux me dégoûte au plus haut point.

Avant que j'aie le temps de réagir, un jet de flamme passe à quelques centimètres de moi et transforme l'adversaire en un petit tas de cendres.

— Dépêchez-vous! s'empresse de nous crier Iref. Souvenez-vous qu'il va revenir à la vie dans quelques secondes! On doit fuir!

— Non, pas cette fois!

J'utilise mes pouvoirs sur l'air pour créer de petites bourrasques de vent, qui éparpillent en tous sens les cendres et les ossements du vampire. Je les envoie assez loin, dans toutes les directions, afin d'être certaine qu'il ne revienne pas.

— Et voilà le travail!

— Tu es sûre que ça va suffire?

— C'est ce que nous verrons…

Pour ne pas perdre de temps, nous reprenons immédiatement notre route. Malheureusement, ce vampire n'était pas seul. Un second sort d'une ruelle devant nous alors qu'un troisième bondit lui aussi d'un toit et vient atterrir derrière nous. Aucune fuite possible ! De toute façon, avec leur étonnante vitesse, ça ne vaut même pas la peine d'y penser.

— Les amis, je crois qu'on n'a pas le choix, cette fois ! Il va falloir mettre à profit nos nouvelles connaissances !

— T'as raison, maman, C'EST LE TEMPS !

— Non, JA… !

Il est trop tard pour l'arrêter. JA vient de saisir la fiole d'eau bénite, et c'est en la tenant à bout de bras qu'il court droit sur l'ennemi, derrière nous. Bien entendu, le vampire en fait de même et s'élance dans sa direction. Du point de vue de celui-ci, un jeune garçon s'offre bêtement en hors-d'œuvre. Je redoute l'impact…

Juste avant de l'atteindre, JA arrête sa course et propulse la fiole de toutes ses forces sur le vampire. Malheureusement, le vampire est trop agile, et JA, trop imprécis ; il évite aisément le projectile. Non ! Cette eau est trop importante…, elle ne doit pas être gaspillée ! Plus par réflexe que réelle volonté, mes pouvoirs se manifestent et retiennent l'eau en une sphère flottante, une fois que la fiole s'est fracassée au sol. Par la suite, je déplace la masse et la fais s'écraser sur la tête du vampire.

Le buveur de sang affiche un air de surprise et d'appréhension, se doutant probablement du contenu de la fiole.

— Bravo, Adria, tu l'as eu ! me félicite mon frère.

Pendant un instant, je crois réellement l'avoir atteint mortellement. Lui aussi, d'ailleurs… Mais réalisant que notre eau ne le brûle pas comme elle le devrait, le vampire sourit, reprend sa course et saisit les épaules de JA à deux mains pour le soulever du sol. Le petit robot (ou petit garçon) balance ses pieds dans le vide, essayant de frapper son adversaire pour qu'il le relâche. Tout se passe si rapidement…. J'aimerais intervenir, mais je n'en ai pas le temps.

La créature sanguinaire tente de mordre JA au cou, mais est violemment repoussée par son collier d'ail. Clignant des yeux sous l'effet de la douleur, il arrache le collier protecteur d'un geste furieux et, cette fois, le mord avec un malin plaisir.

— JAAAA! ne puis-je m'empêcher de crier.

Trop tard pour réagir, je dois à mon tour me protéger et laisser JA se débrouiller seul… Le vampire en avant du groupe fonce à présent sur moi! Mon cerveau fonctionne à toute vitesse. Nous venons de comprendre que l'eau soi-disant bénite n'est pas efficace contre eux, alors nous devons essayer autre chose… Les cheveux! Ce serait la source de leur pouvoir!

— Essayons de lui couper les cheveux! crié-je alors à Sir.

Je concentre toute mon attention sur le vampire qui nous charge, et immobilise son corps dans un immense bloc de glace, laissant toutefois la tête dépasser. Aussitôt gelé, le vampire utilise sa force phénoménale pour se libérer et reprend sa course vers nous avec une nouvelle fougue. Voilà de précieuses secondes perdues. C'est la première erreur du combat, une erreur qui va probablement nous coûter cher.

Le vampire a le temps de se rendre jusqu'à moi et me propulse de toutes ses forces sur un mur. Il m'arrache vivement mon collier de gousses d'ail, qu'il avait déjà remarqué, et approche ses deux immenses canines de mon cou. Au dernier moment, je fais apparaître un robuste anneau de glace autour de ma gorge pour me protéger. Les crocs du vampire se plantent solidement dans la glace, mais n'atteignent pas ma jugulaire. À en juger par son expression, il n'aime pas le contact froid de la glace dans sa bouche ; il aurait sans doute préféré celui du sang bouillonnant d'un humain. Cela me procure un instant de répit pour jeter un regard aux autres.

Je vois JA au loin, toujours prisonnier des bras de son opposant, mais ce dernier a maintenant une main plaquée contre sa bouche. Mais bien sûr ! JA est fait de métal ! Le vampire a dû trouver sa collation plutôt dure à croquer.

Iref et Sir sont à mi-chemin entre les deux créatures. L'elfe est le premier à réagir. En plein dilemme — aller aider JA ou venir me secourir —, il déploie son arc rétractable et décoche une flèche dans la direction du vampire retenant JA pour lui faire lâcher prise. Ensuite, il s'élance à ma rescousse à la vitesse de l'éclair, grâce à sa puce. Je dois avouer qu'en ce moment, je suis bien contente qu'il ait ce truc en lui. Mon sauveur arrive par-derrière et immobilise mon assaillant en lui tenant fermement les deux bras dans le dos.

Encore sous le choc d'être passée à un cheveu de la mort, je ne réalise pas tout de suite que c'est à mon tour de jouer.

— Allez, Adria! s'impatiente Sir. Je ne vais pas tenir 10 000 ans!

Je sors mon couteau de sous ma robe, saisis les cheveux du vampire de ma main libre et, d'un seul coup, lui coupe ce qui lui fournit cette monstrueuse puissance. Du moins, je l'espère...

— Vous allez me le payer! fulmine le vampire. Pendant 124 ans de règne, j'ai porté fièrement cette coupe de cheveux propre à mon pays!

— Ça ne fonctionne pas, Adria! souffle Sir, épuisé. Je ne pourrai plus le retenir longtemps!

Je m'empresse d'aider Sir à immobiliser le vampire, pendant que nous essayons de trouver une solution.

— Mais on a tout essayé!

— Je sais..., je n'y comprends rien! Comment s'en débarrasser?

— Je n'en sais rien! On ne s'en sortira pas comme ça!

Pendant que nous continuons cette discussion qui ne mène nulle part, je vois

Iref accourir vers nous. Un peu plus loin derrière, j'aperçois JA, qui émerge d'un tas de cendres en se frottant les bras et en se secouant la tête pour se débarrasser de cette poussière noire.

Mon frère arrive à nos côtés et nous aide à retenir le vampire. À trois, nous l'adossons au mur afin de le questionner. Après tout, ils sont censés être plus intelligents que nous, peut-être arriverons-nous à lui soutirer quelques renseignements qui nous guideraient vers Della et Ébrisucto.

— Qui est votre chef ?

— Mon chef est celui qui viendra vous arracher la tête pour se servir une coupe de votre sang, si vous osez me toucher !

— On l'attend, ton chef ! lance Iref sous forme de défi.

Cela n'a pour effet que de provoquer une grande hilarité chez le vampire, qui semble croire en l'invincibilité de son supérieur.

— Personne n'a jamais vu autre chose que son ombre ! Du moins…, personne n'a survécu pour le raconter. Si bien que les

villageois l'ont simplement surnommé
« l'Ombre ». Son nom suffit à faire paniquer la population. Mais je suis aussi très
puissant ! Même si je ne possède pas ses
pouvoirs, et que je n'ai pas eu la chance
d'être doté d'une ombre, je vous suis tout
de même fortement supérieur, pauvres
mortels !

À la suite de ces paroles, je remarque
que seules nos trois ombres à moi, à Iref et
à Sir, sont projetées sur le mur par la
lumière de la lune. Les vampires n'auraient
pas d'ombre ? Alors, qu'est-ce qu'il aurait
de si spécial, ce seigneur vampire ? Je crois
bien que nous tenons ici une piste.

Alors que je réfléchis à cette information, je laisse retomber ma vigilance.
Soudain, j'entends JA nous crier un
avertissement :

— ATTENTION, DERRIÈRE !

Mais il est trop tard. J'ai à peine le
temps de tourner la tête pour voir deux
nuages de cendres noires se former derrière moi que je me retrouve plaquée au
mur. En une fraction de seconde, les

vampires que nous avions vaincus il y a quelques minutes ont repris leur forme corporelle et, maintenant à nombre égal, ils nous tiennent immobilisés à notre tour contre la paroi de pierre. Tout cela est arrivé si rapidement... Maintenant, nous sommes tous les trois à leur merci, complètement impuissants. Mon vampire m'accable de coups tout en me griffant avec ses longs ongles. Iref se fait tout autant bombarder que moi, sans pouvoir réagir. Sir, grâce à la vitesse que lui confère sa puce, parvient à parer quelques assauts, mais est tout de même fortement sonné. Je tente d'en congeler un pour nous laisser un certain répit, mais je n'arrive pas à concentrer mes énergies. Je sens mon flux magique se dissiper... Qu'est-ce qui m'arrive ? Je me sens si lourde...

Semi-inconsciente, j'entends JA continuer de crier. Dans un effort surhumain, je parviens à tourner la tête dans sa direction.

Je vois notre petit JA courir désespérément dans notre direction à l'aide de ses petites jambes. Des larmes coulent sur ses joues… *Probablement son hologramme*, me dis-je.

— Non! Papa, maman! Je vais vous sauver! Tiens bon, tonton Iref! Ne mourez pas! J'arrive!

Arrivé à côté de nos assaillants, JA approche rapidement son petit bras de chacun des vampires et les électrocute avec un maximum de puissance. À la stupéfaction générale, le visage des vampires se fige, les yeux grands ouverts, une expression d'horreur marquant chacun de leurs traits. Ils cessent subitement de bouger.

Ne tenant plus sur mes jambes, je me laisse glisser contre le mur. Ce serait donc ça, la véritable faiblesse de ces créatures nocturnes… L'électricité!

Tout à coup, leur corps implose en produisant un nuage opaque de poussière noire, qui se disperse de lui-même en quelques secondes. Je crois que nous les avons eus… Je retrouve peu à peu mes esprits. Je regarde mes compagnons, ils n'ont pas bonne mine… Ils ont les vêtements déchirés et tachés de sang, le visage encrassé ; je me dis que j'ai probablement la même allure. Je remarque alors qu'Iref a perdu un verre de contact, lors de la bataille… Il affiche maintenant un œil rouge et un œil bleu. Lui comme moi semblons exténués, mais Sir, lui, a l'air d'avoir conservé toutes ses forces.

— Bravo, JA ! l'acclame Sir en le prenant dans ses bras, faisant apparaître une expression de fierté sur le visage du petit garçon.

— C'est quoi, Iref ? lui demandé-je.

Il me fait remarquer qu'au sol, trois bâtons de bois aiguisés sont tombés exactement là où se trouvaient les vampires l'instant précédent. Sans même que l'on ait le temps de se pencher sur la question, des dizaines de silhouettes apparaissent dans toutes les directions. Encore des vampires ! Nous sommes cuits… C'est la fin. Des ennemis en si grand nombre… Je vois bien qu'Iref est aussi nerveux que moi et ne sait pas comment réagir. Seul Sir semble ne pas s'inquiéter. Une étrange expression se dessine sur son visage.

Tout à coup, les silhouettes se rapprochent, et je les reconnais. Des elfes noirs ! Une quinzaine d'elfes noirs sont venus pour nous secourir ! Je vois Sir jubiler à côté de moi.

— Ma race n'est pas éteinte ! Je ne suis pas le seul elfe de cette époque !

Avant que j'aie le temps de dire le moindre mot, une demi-douzaine d'elfes s'avancent vers nous et s'emploient à panser les plaies que nous ont infligées les griffes de ces vampires. Ils recouvrent nos blessures de manière à étouffer la plus infime saignée sous au moins trois épaisseurs de bandages. Je me dis que c'est probablement pour éviter que nous attirions d'autres vampires avec l'odeur de notre sang.

Alors qu'ils terminent leur besogne et que j'essaie d'établir un contact avec eux, ne serait-ce que pour les remercier, ils m'ordonnent d'un ton sec de me taire. C'est là que je remarque leur étrange attitude.

Sur le qui-vive, ils regardent dans toutes les directions et ne semblent pas vouloir rigoler. Deux d'entre eux semblent coordonner le tout en signalant aux autres la position à occuper. Tous les membres du groupe portent les mêmes vêtements, une sorte d'armure en cuir brun. Je distingue aussi un épais collier en cuir que chacun porte afin de se protéger le cou. Même principe que mon collier de glace, mais probablement plus efficace. La moitié d'entre eux transportent de grands arcs, et tous ont un attirail plutôt étrange à leur ceinture. Les bâtons de bois que nous avons vus précédemment s'y retrouvent en nombre important.

Un elfe, qui semble être le chef de la bande, de par son attitude, s'adresse à nous d'un ton qui ne laisse place à aucune réponse.

— Je ne sais pas qui vous êtes, et encore moins ce que vous faites ici à une heure pareille, mais suivez-nous sans discuter !

CHAPITRE 5

LES SURVIVANTS

Notre plan, que l'on pourrait qualifier d'intuitif, a failli nous mener à notre perte. Nous avons appris à nos dépens que la base de données de JA est quelque peu désuète. Heureusement que ces elfes étaient là pour intervenir! Nous devrions bientôt en savoir davantage sur eux, car après avoir débarrassé son visage des verres de contact et du maquillage qu'il lui restait, Sir est parti discuter avec le chef.

En attendant, Iref et moi sommes tenus à l'écart, escortés comme si nous étions leurs prisonniers.

Après s'être absenté une véritable éternité, Sir nous rejoint, un air accablé sur le visage. Je connais bien Sir, et quelque chose ne va vraiment pas, cette fois-ci.

— Papa est triste, nous informe JA.

— D'abord les nouvelles générales, débute Sir. Ce peuple est celui des derniers descendants des elfes. Il ne reste plus qu'une poignée, une centaine tout au plus, d'elfes dans notre lignée. Ces buveurs de sang sont leurs pires ennemis et les menacent sans cesse. J'ai bien peur que ces bêtes soient la cause de notre disparition.

Sir reprend son souffle et continue :

— Les elfes ont l'amabilité de nous conduire à leur repère. Selon eux, c'est le seul endroit encore sécuritaire dans ce village, qui est devenu, et je les cite, un « garde-manger ». Je dois me contenir, car j'ai des tonnes de questions à leur poser. Concernant Della et Ébrisucto, pour l'instant, aucune trace d'eux. Cependant, vous

comprendrez que je suis resté très évasif
en ce qui concerne leur description. Toutefois, maintenant qu'ils sont au courant que
nous sommes ici pour les trouver, ils
devraient nous aider.

Sir prend une grande respiration et
baisse les yeux :

— Et maintenant, les moins bonnes
nouvelles. Elles vont sûrement vous irriter
quelque peu… annonce Sir, attristé.

— Vas-y, l'elfe. Ça ne peut pas être
pire qu'être totalement ignorés. Tu veux
bien nous dire pourquoi tes amis bleutés
sont si prétentieux ?

— Oui, Sir, raconte, ajouté-je.

— En réalité, les amis, malgré mes
arguments, les elfes sont extrêmement
craintifs.

— OK, et ça veut dire quoi exactement ? interroge Iref.

— À vrai dire, ajoute Sir d'une façon
maladroite, rien ne leur prouve que vous
n'êtes pas des vampires.

— Tu vas accoucher, l'elfe ? intervient
Iref, les nerfs à vif.

— Attends, Sir! Rien ne leur prouve non plus qu'on est de la famille de ces créatures? dis-je. C'est insensé.

— Heu… Justement, Iref a les yeux rouges et toi, Adria, tu es une humaine un peu trop habile. Vos pouvoirs vous ont trahis. Vos facultés sont inhumaines. Ici, tu es soit un elfe, soit un humain, soit un vampire. Les conséquences seraient probablement pires, si j'essayais de leur expliquer que vous êtes des dragons.

— Qu'est-ce que tu dis là? Voyons donc, comme si on ne pouvait pas les convaincre qu'on n'est pas des vampires… Comme si je ressemblais à ces bêtes horribles! Tu n'as probablement pas la détermination et les arguments qu'il faut. Pousse-toi et regarde le travail! conclut Iref d'un ton énervé.

Mon frère, d'un pas décidé, tel un véritable chef, pousse Sir de son chemin et s'avance vers le grand elfe situé en tête du groupe. Il se faufile à travers le peuple bleu tel un loup vers sa proie, rien ne peut le retenir. Sa détermination semble toutefois s'évanouir à quelques mètres de sa destination, lorsqu'une elfe, particulièrement jolie, s'interpose rapidement et s'empresse de l'éloigner de la première ligne.

Je m'étonne immédiatement de ne pas avoir remarqué cette elfe plus tôt. Contrairement aux autres, elle n'a aucune arme et, bien que l'on puisse voir qu'elle porte une protection au cou, elle ne possède pas d'armure. Elle est plutôt vêtue d'une belle robe mauve pourvue de décorations en cuir jaune aux poignets, aux épaules, au cou et à la tête. Bref, elle n'a rien d'une guerrière. De plus, alors que tous nous regardent avec méfiance, elle sourit à Iref avec bienveillance. Et finalement, chose incroyable pour un elfe noir, d'ici, je jurerais que ses yeux sont verts !

En me concentrant, j'arrive à entendre leur conversation.

— Chers amis, ce n'est pas une chose à faire en ce moment, lui dit-elle en exposant un sourire des plus affectueux. Veuillez jouer le jeu. Soyez patients et faites-moi confiance, cela va prendre quelque temps, mais ils comprendront qui vous êtes réellement.

— Heu… Oh! Ah… bafouille Iref.

Iref est entièrement rouge et, malgré ses efforts, ne parvient plus à articuler le moindre mot sensé. Il est maintenant figé ou plutôt littéralement paralysé, le regard perdu dans les yeux verts de cette elfe. Qu'arrive-t-il à mon frérot? Serait-elle magicienne? Au moment où je décide d'intervenir, j'aperçois Sir saluer la demoiselle et s'empresser de nous ramener Iref par le bras. Celui-ci est dans un état de véritable «zombie». La chaleur de son corps est si haute qu'il commence à dégager de la vapeur. Aux alentours, les elfes ont commencé à le remarquer et gardent leurs mains sur leurs armes, méfiants.

— Iref, ça va? Mais qu'est-ce qu'elle a fait à mon frère?

— Quelle argumentation! lance Sir en pouffant de rire. Une prestation démontrant bien ta détermination. C'est bien ce mot que tu utilisais, Iref?

— Suis-je la seule à avoir vu ce qu'elle a fait à Iref ? Ai-je manqué quelque chose ?

— JA ! Est-ce que tu peux dire à ta mère ce qui se passe avec Iref ?

— Oui ! Tonton brûle…

— Oui, je sais JA, continue Sir, plié en deux. Mais en plus…

— Ah oui ! Tonton est tombé amoureux de la dame.

— Que je suis idiote ! Bien oui, c'est ça, frérot amoureux…

À la suite de cette constatation, je m'esclaffe à mon tour en déposant ma main gelée sur son épaule, afin de tempérer la chaleur de son corps. C'est la première fois que je vois mon frère avec cet air d'imbécile heureux. Ah non, c'est vrai… J'avais oublié Chame…

À cette pensée je ne peux m'empêcher de rire de plus belle.

Grâce à mon traitement « à froid », la fumée cesse de sortir des oreilles d'Iref et les elfes semblent un peu plus tranquilles.

Pendant ce temps, Iref ne prête aucune attention à ce qui l'entoure. Conscient de son état, et surtout conscient qu'il est le dindon de la farce, il se contente de sourire et de baisser la tête. Les seules fois où il se redresse sont pour regarder l'elfe subtilement. Une situation qui alimente nos éclats de rire. Pour une fois que je peux rire de lui sans qu'il essaie de me brûler !

Après l'avoir observée un peu plus attentivement moi aussi, je dois avouer que cette fille a un charisme inhabituel. Comme tous les elfes féminins, elle a la peau noire et est de petite taille. Toutefois, elle se distingue par ses cheveux blanc neige et ses yeux en amande, qui sont effectivement d'un incroyable vert émeraude. Bien qu'elle soit étonnamment jolie, ce qui la démarque plus que le reste est qu'elle dégage une sérénité et une quiétude hors du commun. Je ne sais pas trop pourquoi, mais je suis certaine que cette fille va nous aider. Il faut dire que je ne suis peut-être pas très neutre, moi qui ai un faible pour les elfes.

Une fois que nous sommes sortis de la ville, la jolie elfe s'approche de moi et se présente :

— Je me nomme Nellina, et c'est un honneur pour moi de vous accueillir.

— Bonjour, Nellina. Moi, c'est Adria. Expliquez-nous ce qui se passe réellement : sommes-nous oui ou non vos prisonniers ?

— Surtout pas, Adria ! Je sais que nos gestes ont tendance à vous faire croire le contraire, mais vous savez, tant que nous n'avons pas la garantie que vous n'êtes pas des leurs, nous devons agir avec vigilance.

— La parole de Sir ne vous suffit pas ?

— Si tu savais, Adria ! Ils ont le pouvoir de contrôler ou d'hypnotiser les gens. Donc, même Sir pourrait être sous leur emprise. Toutefois, comme il est de la famille, nous le surveillons, disons… autrement.

— Mais tu sais qu'on peut partir, si on veut ?

— Je sais bien que nous ne pouvons pas vous retenir, si vous décidez de partir, mais crois-moi, Adria, nos destins sont peut-être plus liés que tu ne le penses. Nous allons vous aider à trouver ceux que vous cherchez. Toutefois, il vous faut accepter de jouer le jeu pour quelques heures.

— Et cela signifie ?

— D'abord, je vais vous demander d'utiliser ces bandeaux pour vous cacher les yeux.

Nellina dépose deux bandeaux au sol en m'avisant qu'il s'agit d'une précaution à prendre, afin de garder secret l'emplacement du village. Elle prend soin de nous informer que Sir et son fils n'en auront pas besoin. Si elle savait… S'il y a quelqu'un qui peut mémoriser les lieux, c'est bien JA. Espérons que Sir l'a averti de se tenir tranquille.

— Et quand nous serons rendus au village, ajoute-t-elle, ils vont vous mettre dans de petites cages. Quelques heures au

soleil suffiront pour les convaincre de
votre identité.

— Pourquoi le soleil ?

— Les vampires ne supportent pas la lumière du soleil. Vous ne les verrez jamais en plein jour sauf, bien sûr, durant les temps très sombres.

— Que nous sommes stupides… Nous qui attendions la noirceur pour nous déplacer…

— Quel drôle de plan. D'un autre côté, je comprends que cette région n'est pas la vôtre. Je crois, Adria, que nous aurons de longues heures d'échanges, toutes les deux. Pour l'instant, assure-toi simplement de suivre les directives.

Je ne m'étais pas trompée, cette fille est exceptionnelle, d'une grande gentillesse.

— Ah oui, Adria ! ajoute Nellina avant son départ. J'aimerais que tu me présentes à ton ami.

— Ami ? Sir ?

— Non, celui qui me regarde présentement. Le garçon discret, là-bas.

— Tu parles d'Iref? dis-je en souriant. Iref est mon frère, il a bien des qualités, mais discret n'en fait pas partie. C'est qu'en ce moment, il n'est pas dans son état habituel.

— Ah oui? Il est blessé?

— C'est que, depuis qu'il t'a aperçue, je crois qu'il a un faible pour toi.

— Iref, dis-tu? Comme c'est étrange, Adria. Bref, je t'en dirai plus un peu plus tard. Transmets-lui mes salutations et dis-lui que nous nous verrons plus tard. À vrai dire, plus souvent qu'il ne peut l'imaginer...

— Quoi?

Sur cette dernière phrase, Nellina nous quitte rapidement. Je comprends que j'aurai la chance de clarifier tout ça un peu plus tard.

Je n'ai pas encore ramassé les bandeaux laissés au sol que mon frère arrive au pas de course.

— OK, sœurette, quel est le plan? lance-t-il d'une voix ferme. Faut pas oublier ce qu'on est venus faire ici.

— Tiens, frérot, tu as repris tes esprits ? Il était temps. Je commençais à m'inquiéter.

— Que t'a dit cette fille ? reprend-il.

— En résumé, on va devoir jouer le jeu quelques heures et, après, ils nous aideront dans nos investigations.

— Très bien. Et c'est tout ?

— Ah oui ! Nous avons aussi parlé de ton amour pour elle…

— Quoi ? Heu… Oh ! bafouille Iref.

Je m'esclaffe de nouveau. Et voilà, il a repris cet air d'imbécile. Au moins, comme ça, il ne risque pas de me poser un tas de questions. J'en profite donc pour lui enfiler le bandeau.

Quelques minutes plus tard, je tiens Sir par la main droite et Iref par la main gauche, et nous entamons une longue route. J'imagine que le petit est à sa place habituelle : sur l'épaule de son père. Heureusement que c'est Sir qui nous guide, sinon j'aurais le pas beaucoup plus craintif.

Nous arrivons dans une zone couverte, beaucoup plus humide. L'air est frais et le vent a pratiquement cessé de souffler. Je flaire la présence d'un cours d'eau à proximité et ça me donne un regain d'énergie. D'après ce que je ressens, le sol sous mes pieds a changé. Les cailloux ont laissé place à des feuilles, ou peut-être à de l'herbe… Difficile à dire.

Après 14 632 pas (c'est JA qui les compte à voix basse), Sir s'approche de moi et me rend la vue. Quel extraordinaire spectacle! Je m'empresse à mon tour d'enlever le bandeau d'Iref.

— Wow! Quel merveilleux endroit! s'exclame Iref.

— Tu imagines, frérot! C'est pour ça qu'on se bat. C'est pour qu'un jour, nous retrouvions un tel paradis chez nous, en l'an 5000.

Devant nos yeux se tient rien de moins qu'un petit village construit entièrement au sommet des arbres. Les rues sont en réalité des passerelles de bois, et les maisons sont faites de branches et soutenues par d'immenses plates-formes rondes. Plusieurs cordes, soutenant ce qui semble être des gousses d'ail, sont symétriquement disposées le long des passerelles. La zone est entièrement couverte par de gigantesques feuillus, procurant sans doute au village une protection efficace contre les intempéries. Que j'aime cet endroit! Au sol, de nombreux cours d'eau s'entrelacent à perte de vue telle une toile d'araignée minutieusement tissée. Mais à première vue, aucun chemin, aucun pont n'a été conçu pour les traverser. On dirait bien que la seule façon de visiter cette forêt est par la voie des arbres. Un groupe de sentinelles est posté à l'unique entrée du village. Quoique je ne sois pas une experte en la matière, j'ai tendance à trouver que cet endroit est effectivement la zone la plus sécuritaire du coin.

Pendant que j'admire ce qui est pour moi le paradis, Sir nous invite à avancer sur la plate-forme qui sert d'élévateur, pour accéder à l'étage supérieur.

— Tu vois, Adria, les elfes ont toujours été très à l'aise dans la nature. Ce village en est la preuve. Tu vois la précaution avec laquelle tout a été construit? Même les bâtiments disposent de mécanismes anti-intrusion.

Je ne comprends pas exactement ce à quoi Sir fait allusion, mais chose certaine, les maisons sont construites avec goût et style.

Après l'ascension, notre escorte nous conduit à un palier supportant deux petites cages d'acier. Les cages, solidement construites, sont positionnées à l'est, à l'écart des feuillus, leur permettant ainsi de capter pleinement la lumière du soleil levant. Nous sommes poliment invités à y entrer. Bien sûr, Iref résiste fermement jusqu'à ce que Nellina elle-même vienne lui chuchoter quelques mots à l'oreille. Je n'ai malheureusement pas entendu ce qu'elle lui a murmuré, mais Iref s'assoit gentiment au fond de la cage avec un drôle de sourire. De mon côté, Sir m'embrasse tendrement et me confirme que cette épreuve ne durera que quelques heures, étant donné que le soleil va bientôt poindre à l'horizon. Je m'assois également dans le fond de ma cage, exhibant probablement la même drôle de tête qu'Iref.

❋ ❋ ❋ ❋ ❋

Le soleil s'est levé depuis peu, et nous sommes toujours en cage. Iref est perdu dans ses pensées et moi, j'utilise la brise du matin pour écouter les conversations aux alentours. À quelques mètres de moi, probablement à un ou deux étages au-dessus, un petit rassemblement a lieu. Le sujet du jour tourne autour de ces foutues créatures. En me concentrant, j'arrive à discerner quelques mots.

— Maintenant, Sir, discutons un peu de ces vampires. Vaut mieux vous enseigner comment vous défendre, sinon votre séjour risque d'être très court. Ne vaudrait-il pas mieux éloigner le petit ? demande un certain Owen, qui semble être le chef des elfes.

— Non, non, je m'en porte garant, répond Sir. Il est très bien renseigné pour son âge.

— C'est vous qui savez.

Owen se déplace de quelques pas et revient.

— Les vampires peuvent se déplacer et réagir plus rapidement que tout être humain normal. En plus, ces tueurs sont des êtres infiniment complexes, car chacun possède des facultés qui lui sont propres.

— Mais ils peuvent être neutralisés, n'est-ce pas? demande JA.

— Premièrement, sachez que le corps d'un vampire est essentiellement plus durable et plus résistant que celui d'un humain ordinaire. Les quelques humains que nous avons sauvés nous ont aussi dit qu'une fois qu'ils s'étaient fait griffer par ces monstres, ils se sentaient extrêmement faibles. Nous supposons donc que leurs griffes sont empoisonnées, mais ce poison n'a jamais affecté aucun elfe et semble se dissiper très rapidement dans l'organisme humain.

Voilà qui explique ma faiblesse lors de la bataille.

— Mais ils peuvent être neutralisés ? redemande JA, n'ayant toujours pas reçu de réponse.

— Oui, petit, en fait, il existe quatre manières d'expédier ces créatures en enfer : leur planter un pieu dans le cœur, les exposer à la lumière du soleil, les décapiter ou les brûler.

— Le feu ne fonctionne pas, rétorque JA.

— J'y arrive, petit. Commençons donc par le feu. C'est l'un des meilleurs moyens pour les exterminer. Leur chair est consumable, et le feu arrive à réduire ces bestioles en paquets d'os. Toutefois, elles possèdent des capacités régénératrices leur permettant de reprendre leur forme initiale. Vous aurez quelques minutes pour disposer de leurs ossements avant leur renaissance. Le meilleur moyen est de jeter les os dans un cours d'eau. Et…

— Pourquoi de l'eau ? Et doit-elle être en mouvement ? l'interrompt JA.

— J'y viens. Ils ont peur de l'eau. Vous ne verrez jamais un vampire les pieds dans l'eau. Il faut comprendre que l'eau a toujours été un élément purificateur, il est donc normal qu'ils l'évitent. Et pour répondre à ta question, petit, oui, les ossements doivent être placés dans une source d'eau en mouvement, afin de les disperser plus efficacement.

— Et le pieu, il doit être de quelle grosseur, et fait de quel bois ?

— Mais bon sang ! Quel âge a ce petit ?

— J'ai 160 jours et 10 heures exactement, lance rapidement JA.

— Quoi ?

Rapidement, Sir intervient et justifie l'intervention de JA par son acharnement à vouloir être le centre d'intérêt. L'elfe s'avance vers son fils et lui ordonne dans le creux des antennes de ne plus intervenir sans son accord. En s'excusant en son nom, Sir confirme l'âge humain de JA, soit sept ans. Je ne vois pas la réaction du petit, mais j'imagine bien qu'il doit être extrêmement difficile pour lui de ne pas intervenir sur cette dernière information.

— Bon, concernant le pieu, reprend Owen. Il doit préférablement mesurer 30 centimètres de longueur et être fabriqué en bois de chêne. On doit le planter d'un seul coup en plein milieu du cœur. Si l'attaque réussit, vous les verrez se réduire en cendres.

Owen s'arrête un instant de parler, puis semble reprendre pour JA :

— Et de cinq centimètres de diamètre. Pour la décapitation, assurez-vous de faire beaucoup de morceaux. C'est le même principe que pour le feu, vous devez éparpiller les restes très rapidement. Je sais, je sais, cette solution n'est pas évidente. N'oubliez pas que la lumière du soleil est votre meilleure amie. Les vampires ne peuvent pas la supporter. Un vampire brûle, au soleil, et une exposition trop longue le réduirait en cendres à jamais. Il est donc toujours préférable de voyager le jour.

Owen se déplace de nouveau et revient d'un pas plus lourd. J'imagine qu'il porte un objet.

— Je vous donne à chacun un petit coffre contenant tout le nécessaire pour vous défendre. Espérons que vous n'en aurez pas besoin. En plus d'un pieu, d'un allume-feu et d'un grand couteau, vous y trouverez d'autres accessoires bien utiles, comme le miroir. Servez-vous-en pour rediriger la lumière du soleil. Étant donné que les vampires n'ont pas de reflet dans la glace, vous pouvez aussi vous en servir pour vérifier si vous êtes en présence de l'une de ces bêtes, mais attention, les plus âgés ont plus d'un tour dans leur sac.

— Comme quoi ?

— Bonne question, JA, lui répond Sir.

— Les vampires les plus âgés possèdent le don de contrôler l'esprit. Ils pourraient vous faire voir un reflet, même s'il n'existe pas réellement. Vous avez aussi du sel et de l'ail. Ce sont deux éléments purificateurs qu'ils détestent comme la peste. Une bonne dose de sel et des tonnes de gousses d'ail suffiront à les éloigner. Toutefois, les vampires plus âgés arrivent parfois à contrôler leur peur. Et finalement, une petite croix. La croix leur procure des brûlures, mais contrairement au feu, les brûlures de la croix sont permanentes. Ah! J'allais oublier les fioles d'eau bénite! L'eau qu'elles contiennent a été bénite par de puissants prêtres liés aux forces de la Lumière. Une autre manière de tuer les vampires est de les asperger d'au moins 100 millilitres d'eau bénite. Sachez que cette eau est très efficace, mais malheureusement très rare, donc coûteuse. Un marché noir d'eau bénite est même apparu dans le village, et des escrocs ont vendu de l'eau soi-disant bénite à prix d'or à de pauvres citoyens… On en a retrouvé pas moins de 30, vidés de leur sang, entourés de flaques d'eau et de verre brisé… Si un jour je tombe sur un seul de ces faux prêtres, qui se croient tout permis et jouent impunément avec les puissances divines, il n'en restera plus grand-chose, croyez-moi!

Owen a fini sa tirade sur un ton dur. Je ne peux m'empêcher d'imaginer le malaise qui doit se lire sur les traits de Sir et de JA en ce moment. Ne pouvant me retenir, j'éclate de rire sous les regards interrogateurs de mes geôliers.

— Pour finir, la dernière chose que vous trouverez dans ce coffre est une ceinture à laquelle vous pouvez accrocher tout votre attirail, afin d'avoir vos armes à portée de main. Des questions ?

— Est-ce que Ma va avoir une trousse aussi ?

Qu'il est mignon, ce petit, il pense à moi.

Owen reprend sa respiration et conclut en esquivant la question :

— Nous allons prendre une pause et dans une heure, nous commencerons votre entraînement. C'est une chose d'avoir les accessoires, c'en est une autre de savoir les utiliser correctement. Mais avant, allons voir que font nos autres invités.

D'après le ton de sa voix, tout porte à croire que nous serons libérés prochainement. En route, Owen confie à Sir qu'il a rarement vu un enfant avec autant d'intérêt pour des monstres buveurs de sang. Il avoue subtilement qu'il aime bien la personnalité de ce petit.

À part cette conversation des plus instructive et les allées et venues des gardes devant la cage d'Iref, tout est calme dans le village. Pour une raison qui m'est totalement inconnue, Iref a décidé de faire fondre le cadenas de sa cage toutes les 15 minutes. Pourtant, il est au courant qu'il doit se tenir tranquille. Tiens, il recommence, justement.

— Mais pourquoi fais-tu ça, Iref? Tu ne trouves pas ça idiot?

Il est là, le sourire aux lèvres, faisant fondre son cadenas entre ses doigts brûlants, le regard fixé au loin. Je me déplace vers la droite, afin d'apercevoir ce qui l'hypnotise. J'aperçois, à quelques mètres de lui, Nellina, qui lui sourit. Je viens de comprendre. Chaque fois que Nellina le regarde, il brûle son cadenas. Probablement pour lui montrer qu'il pourrait s'échapper, s'il le désirait. Wow! Quelle tentative de séduction! Il va falloir que j'explique à frérot quelques éléments de base sur les filles.

Quelques minutes plus tard, un rassemblement d'elfes se forme autour des cages. Owen ordonne d'une voix ferme de nous libérer.

— Il est grand temps de me présenter officiellement. Je suis Owen, et sachez que nous sommes vraiment désolés de toutes ces précautions. Mais nous avons tellement perdu dans cette guerre...

— Enchantée, Owen; moi, c'est Adria, et lui, c'est Iref. Nous comprenons très bien la situation.

En réalité, je commençais à douter de ma réelle compréhension.

— Sir m'a parlé de la raison de votre venue en ville.

— Ah oui? Et il vous a dit...?

— ... que vous cherchiez des bandits disparus.

— Oui, ça résume assez bien.

— Espérons qu'ils n'ont pas été trans-formés en vampires.

— Oui, espérons-le… ou pas. Peut-être serait-ce préférable.

— Adria, nous allons essayer de vous aider. Il vaut mieux ne pas vous déplacer sans un guide. Nellina vous accompagnera dans vos recherches. Elle connaît tous les recoins de la ville et, surtout, le comportement de ces bêtes.

— Ah oui? lance Iref, avec un sourire discret.

— Mais pour l'instant, laissez-moi vous faire visiter et vous accueillir comme vous le méritez. Les amis de notre famille sont aussi nos amis.

— Je vous emprunte Iref! intervient Nellina. Nous avons à discuter un peu. Nous irons vous rejoindre un peu plus tard. Tu viens, cher ami? ajoute Nellina en lui tendant la main.

Iref la saisit délicatement. Il semble avoir légèrement repris ses esprits, mais on voit bien dans ses yeux qu'il est totalement amoureux elle.

Alors qu'ils s'éloignent, je prends moi-même la main de Sir dans la mienne, ne pouvant m'empêcher d'être heureuse pour mon frère.

Nellina

JA, le chasseur de vampires

CHAPITRE 6

À LA RECHERCHE D'INFORMATION

Il est neuf heures du matin et après trois journées d'hospitalité très appréciées, nous venons de quitter le village des elfes. Ils ont tous été d'une grande gentillesse envers nous, en commençant par nous donner de nouveaux vêtements, les nôtres ayant été déchirés et souillés de sang par les vampires. Sir a pu retrouver des habits fortement semblables à ceux qu'il possédait à son époque et moi, je porte une belle robe elfique bleue, dans le même genre que celle de Nellina. Au début, Iref aimait nous agacer en nous rappelant quelle belle paire assortie nous formions, mais il s'est vite arrêté en voyant que cela ne m'atteignait pas le moins du monde. Cette pensée me réjouit, au contraire, ce qui semble être le cas de Sir également. Pour le frérot, par contre, ce fut plus compliqué. Il est très loin d'avoir le gabarit d'un elfe, et rien de ce qu'on lui proposait ne lui allait. Nellina a alors eu l'idée de simplement reproduire les vêtements qu'il portait déjà. La seule différence est le collier protecteur en cuir, qui lui orne maintenant le cou, comme le mien et celui de Sir, d'ailleurs, en plus de la ceinture d'accessoires antivampires que chacun porte.

Les elfes nous ont ensuite fait visiter leur village-forêt, nous en ont expliqué les règles et nous ont assigné des chambres pour notre séjour. Plusieurs sont libres, car les vampires ne chôment jamais et les elfes ne comptent pas un mois sans qu'il y ait de victimes. Au début, ils nous avaient octroyé, à Sir et à moi, une chambre avec un seul grand lit. Quand nous avons argumenté, avec une certaine gêne, que nous n'en étions pas encore rendus là dans notre relation, notre hôte a alors haussé un sourcil et nous a fait remarquer que nous avions pourtant un fils. Et là, c'est justement ce fils qui nous a mentionné que notre température montait en flèche et que cela traduisait un intense malaise. Heureusement, nous avons été sauvés par mon frère, qui, entre deux rires, expliqua plus ou moins que notre relation était compliquée. Finalement, les deux gars se partagent une chambre à deux lits et moi, je dors dans celle d'en face.

Présentement, nous pouvons même nous passer du bandeau pour entrer et sortir du village. Mais de toute façon, le seul chemin praticable pour s'y rendre est tellement compliqué et comprend tellement de détours dans le véritable labyrinthe qu'est la forêt, que sans Sir ou Nellina pour nous guider, jamais nous ne nous y retrouverions.

Le seul bémol dans cette histoire est la distance présente entre nous et les elfes. Sir a rapidement été adopté, mais pour moi et mon frère, malgré la bienveillance dont ils font preuve envers nous, je ressens sans arrêt le fossé qui nous sépare de cette race. Avec un pincement au cœur, j'ai maintenant une bonne idée de ce que doit ressentir Sir à mon époque.

Nous nous trouvons maintenant dans un endroit appelé « la sentinelle » ; une charmante petite auberge en plein cœur de cette ville à deux visages. Selon les dires de nos amis bleutés, c'est le lieu le plus fréquenté, principalement à ces heures matinales. Et d'après Nellina, c'est l'un des rares endroits encore sécuritaires pour les passants et les étrangers, ce qui s'explique peut-être par les murs extérieurs, complètement recouverts d'ail et de croix, et le tapis d'entrée, qui est exclusivement constitué de sel. Sinon, l'endroit se résume à une charpente en bois délabrée, un plancher de vieilles lattes défraîchies et six petites tables rondes occupées par des humains déjà enivrés. Bien qu'elle soit très colorée, la décoration laisse à désirer. Quelques peintures représentant des scènes de guerre sont disposées le long des murs éclairés par des lanternes dont la plupart ont rendu l'âme. Le tout est dirigé par un homme bedonnant très poilu, mal habillé et servant avec la courtoisie d'un éléphant.

Nous sommes accompagnés de Nellina, qui a eu l'amabilité de nous servir de guide. Iref est assis près d'elle et il semble avoir repris tous ses esprits. Connaissant bien mon frère, je me rends compte qu'il s'est vraiment entiché de cette fille. J'aimerais bien être un petit oiseau pour écouter tout ce qu'ils se disent, ces deux-là. Je crois bien qu'ils partagent des secrets. Mais à bien y penser, Sir et moi en partageons également et franchement, il vaut mieux que personne ne les découvre.

Les elfes nous ont préparés et informés sur l'époque. Quoique nous ne soyons pas des experts en vampires, nous sommes maintenant mieux outillés pour les affronter. Nous sommes conscients que les vampires sont le fléau de cette époque, et d'après l'analyse de JA, il ne reste plus que quelques années avant l'anéantissement de la lignée des elfes. Les données que JA a recueillies indiquent également que ces bestioles préfèrent de loin le sang des elfes, mais pour l'instant, nous en ignorons la raison. Qui sait, peut-être leur sang est-il tout simplement meilleur au goût? Les humains, eux, devraient pouvoir survivre encore quelques décennies, selon JA. Chose certaine, un événement doit survenir plus tard, car 3 000 ans après, ils sont toujours là. Nous voudrions bien intervenir pour les elfes, mais s'amuser avec le continuum temps risque de provoquer des conséquences bien pires que la dure réalité de notre ère aux alentours de l'an 5000. D'ailleurs, DragOR m'a bien avertie, à ce sujet. Il est préférable, avant tout, de se concentrer sur ce que nous sommes venus faire, soit retrouver Della et Ébrisucto. C'est eux, notre vraie menace.

— Et maintenant, comment on procède ? demandé-je.

— Je vous suggère d'écouter les conversations autour de nous. Même à cette heure matinale, les gens sont loin d'être discrets, assure Nellina.

Le lieu est bondé de gens et, comme disait Nellina, la discrétion ne semble pas être leur principal atout.

— Et dire que parmi tous ces gens se trouve probablement une de ces créatures. Un vampire est peut-être là, nous observant et écoutant tout ce que nous disons, murmure Iref. Qui nous dit que cet homme à la grosse barbe, là-bas, n'est pas des leurs ?

— S'il y avait un vampire dans ce lieu, il est assurément parti à la course en se voyant observé d'une telle manière. Pourrais-tu être encore moins discret ? ajoute Sir avec son air narquois.

Une petite remarque qui aurait tourné autrement si Nellina n'avait pas souri à la blague de Sir. Iref se contente de rigoler avec nous.

— Utilise ton miroir, frérot. Il y a aussi son ombre. Tu te rappelles, les vampires n'ont pas d'ombre.

Iref s'empresse de sortir son miroir et entame une recherche avec la discrétion d'un mammouth.

Sir laisse s'écouler quelques minutes et s'adresse à JA en murmurant assez fort pour qu'Iref puisse l'entendre.

— OK, JA. Dis-nous s'il y a des vampires ici.

— Non, Pa, tout le monde a un pouls.

— Et voilà!

— Quoi? Tu n'aurais pas pu…

— Frérot! l'interromps-je avec insistance.

— Oui, Adria, toujours demander avant, je sais, toujours demander…

Sir étale un sourire satisfait et provocateur tel qu'on lui connaît. Et moi, je lui réponds en le pinçant fermement.

Je m'étais attendue de la part de Nellina à un interrogatoire en règle ou tout au moins à une expression interrogative. Mais au contraire, elle est là, écoutant tous nos dires en se contentant d'exposer un sourire. Un sourire de satisfaction et de bien-être, comme elle seule peut le faire.

— Nellina ! Si tu nous parlais de toi ? demandé-je d'un air intéressé.

— Bien sûr, que voulez-vous savoir ?

— Eh bien, tout ! lance spontanément Iref.

— Je suis la fille d'Owen et la sœur de Quarls. J'ai 400 ans.

— Quoi ? s'exprime Iref.

— En fait, Iref, ça équivaut à 20 ans d'âge humain et à 60 ans du vôtre, explique Sir.

— Et que fais-tu comme métier ? Tu es magicienne ? demande JA avec la naïveté qu'on lui connaît.

JA avait probablement analysé Nellina, et les particularités auxquelles correspondait le plus son habillement étaient sans doute celles d'une magicienne.

— Malheureusement, notre dernière magicienne a disparu il y a déjà 200 ans. Nos recueils ayant été détruits par les vampires quelques années auparavant, elle a emporté avec elle la connaissance de la magie.

— Une prêtresse? récidive JA, décidé à trouver une réponse.

Nellina sourit.

— Pour répondre à ta question, JA, avant que tu fasses le tour des professions, je suis oracle. Le dernier oracle de notre lignée.

— Un oracle? demandé-je.

— Oracle : personne qui a des dons divinatoires.

— Ça va, JA, merci.

JA affiche un sourire à son tour.

— Adria, rappelle-toi, lors de notre premier voyage. Nous avions rencontré, dans mon village, Selin et son hibou.

— Parlez-vous de Selin Drilath? demande Nellina.

Ça y est! Si Nellina ne se pose pas de question sur nous en apprenant que nous avons rencontré un homme mort il y a des centaines d'années…

— Oui, c'est bien ça, confirme Sir. Tu le connais?

— Eh bien, je vous informe que je suis l'une de ses descendantes. L'histoire dit tant de bien de cet homme. Est-il vraiment aussi impressionnant?

Aucune surprise de sa part? J'ai l'impression que cette fille en sait plus sur nous qu'elle semble vouloir nous le faire croire. Tant mieux, si nous n'avons pas à tout justifier en sa présence.

— Eh bien oui! Je me rappelle de la grande sagesse et de l'incroyable connaissance de cet homme, raconte Sir. Il était responsable du Frenantoire, l'un des plus importants lieux de connaissances de cette époque. Te rappelles-tu, Adria, comment Mog doutait de ses pouvoirs, au début?

— Oui, je me rappelle aussi que nous étions tous bouleversés par ses révélations. Il avait lu en nous comme dans un livre. Même Mog, avec sa carapace, pleurait discrètement.

Sir et moi avons la larme à l'œil en pensant à notre cher ami Mog.

— Te rappelles-tu, Adria, ajoute Sir, d'Eral, son hibou?

— Hé, les amis ! intervient Iref, ça suffit, les retours en arrière ! Nous, nous n'étions pas là. Gardez ça pour vos soirées nostalgiques !

— Voyons, Iref, annonce Nellina en regardant mon frère dans les yeux. C'est de mon arrière-grand-père qu'on parle. Moi, ça m'intéresse.

— Heu, désolé, Nellina, s'excuse Iref. Moi aussi, j'aime beaucoup les hiboux. Il était de quelle couleur, tu disais ?

— Blanc, répond Sir en prenant soin de décrire minutieusement les traits d'Eral.

— Et toi, Nellina, tu sais lire en nous ? Tu peux prédire l'avenir, aussi ? demande Iref.

— Tout le monde peut lire en toi, frérot, surtout en ce moment.

Nous pouffons tous de rire.

— La réponse à ta question, Iref, est oui. Toutefois, quelque chose m'échappe. Puis-je vous poser une question ?

— Vas-y, lance Iref.

— Vous parlez du passé, pourtant vous venez du futur, je me trompe?

— IREF! Pourquoi tu lui as raconté ça? lancé-je en le poignardant des yeux.

— Moi, je n'ai rien dit! Enfin, rien qui concerne nos voyages! C'est vous qui parlez du passé depuis tout à l'heure, je te signale!

Nellina pose la main sur l'épaule d'Iref pour le calmer et étouffer dans l'œuf la dispute à venir, avant de prendre calmement la parole:

— Je vous rassure, chers amis, personne n'a parlé. Nous vous attendons depuis 15 ans déjà. Vous avez pris votre temps, ajoute Nellina en esquissant un sourire.

— Nous? lancé-je.

— Moi aussi? demande JA.

— Non, pas le petit, explique Nellina en sortant de son vieux sac de cuir un dessin usé par le temps.

Sur le drap qu'elle déplie est crayonné un grand elfe accompagné d'une fille d'apparence humaine, jolie, élancée et possédant un tatouage de dragon bleu sur l'épaule droite. Le groupe est dirigé par un garçon plutôt séduisant aux yeux rouges, dont le visage est en partie recouvert par le tatouage d'un dragon rouge.

— C'est incroyable, mais c'est bien nous, lancé-je.

— Qu'est-ce que vous attendez de nous, exactement ? demande Sir d'un ton réfléchi.

— La prophétie annonce que trois personnes viendront à bord d'un engin inconnu, comme s'ils venaient d'un autre monde, afin de nous sauver.

— Sauver ? répète Iref.

— Vous êtes ceux qui viennent sauver notre lignée, réplique Nellina, convaincue de ce qu'elle a vu.

— Tu veux dire, Nellina, venir combattre à vos côtés ? demande Sir.

— Et moi aussi, je suis un sauveur ? demande JA.

— Mais comment notre aide pourrait-elle vous aider à éliminer des êtres si puissants ? Tu sais, Nellina, sans vouloir te faire de peine, notre principal but ici est de retrouver Della et Ébrisucto. Et toute autre action peut avoir des répercussions irrévocables sur le futur.

— Peut-être, Adria, que ces deux causes ne sont pas si éloignées l'une de l'autre, ajoute Nellina en accompagnant ces paroles d'un clin d'œil. Je ne peux pas vous en dire davantage, mais quelque chose me dit que l'une ne pourra être atteinte sans l'autre.

— Et moi aussi, je suis un sauveur ? demande JA de nouveau.

— Oui, JA, oui.

— Je savais qu'il fallait venir à cette époque ! lance Sir, satisfait.

JA esquisse un ample sourire de satisfaction.

Un petit moment de silence s'ensuit, mais Iref l'interrompt avec la conviction d'un chef. Peut-être mon frère en a-t-il assez de cette histoire inconcevable.

— OK, pour l'instant, concentrons-nous sur ces jumeaux. Je vais aller voir si je ne peux pas soustraire quelques renseignements au serveur. Des jumeaux comme eux, ça ne passe pas inaperçu…

— De mon côté, lance Nellina, je vais socialiser avec cette dame assise à la table du fond. Elle nous observe depuis un bon moment. Si je peux me permettre, quelqu'un devrait aller s'installer à la table avec ces deux farfelus, ils semblent parler de vampires.

— OK, Sir et moi, on s'en occupe, confirmé-je.

— Et moi, continue JA, je vais aller faire un tour dehors, pour voir… Pour voir, tout simplement.

❋ ❋ ❋ ❋ ❋

Deux heures plus tard, nous sommes tous de retour à la table initiale et nous nous apprêtons à partager nos trouvailles. Excepté JA, qui, comme toujours, sait se faire attendre.

— Bon, le vieil ours… entame Iref.

— Qui ça ? l'interrompt Sir.

— Le serveur poilu a cru apercevoir deux étrangers, il y a quelques jours. Deux personnes qui se ressemblent étrangement auraient pris une chambre, il y a exactement cinq jours. Et si j'ai bien compris, ils y seraient encore en ce moment même.

— Della et Ébrisucto seraient ici même ?

— C'est fort possible. Sauf que je ne suis pas certain d'avoir tout compris. Cette chose parle moitié humain, moitié autre chose. En plus, si vous saviez comment ce type est mêlé dans sa tête, j'arrivais à peine à suivre le fil de sa pensée.

— Mentionnons, ajoute Sir avec son sourire railleur, qu'il ne t'en faut pas beaucoup pour perdre le fil.

— OK, lance Iref en donnant un coup de coude à Sir. Et toi, qu'as-tu trouvé ? Voyons voir si monsieur est meilleur.

— Certes ! répond Sir. De notre côté, Adria et moi sommes allés interroger ces deux messieurs.

Sir change de ton et prend une respiration.

— Les deux rigolos nous ont pris tout notre précieux temps à nous raconter des histoires d'horreur et des légendes urbaines. Les unes, comme les autres, sont invraisemblables. Toutefois, ces types sont indubitablement surprenants, très bizarres, ce sont des raconteurs hors pair. À tel point que j'aurais apprécié la présence de JA pour me dire si ces hommes étaient sincères ou non.

— Vas-tu nous dire ce qu'ils t'ont dit ou faut-il aller leur demander nous-mêmes ? demande Iref avec la patience qu'on lui connaît.

— Nous avons eu droit à toute la panoplie : des morts-vivants, des loups-garous et même des fantômes. La plus étonnante de toutes est qu'il paraît que chaque nuit étoilée, quand la lune pointe dans le ciel, une gigantesque chauve-souris plane sur la ville. Et qui la regarde trop longtemps meurt instantanément. Bien sûr, selon ces hommes, personne n'a réellement affronté la créature ou, devrais-je dire, personne n'a pu le rapporter.

— Ça te dit quelque chose, Nellina, cette histoire ? demandé-je.

— À dire vrai, cette ombre existe et on l'aperçoit dans les soirées étoilées, mais elle ne pétrifie pas les gens comme prétendent ces hommes.

— Tu vois, Siradentwitt, ajoute Iref d'un air railleur. C'est une légende. Finalement, ton intervention était inutile.

— Toutefois, ajoute Nellina, son explication est loin d'être unanime. Plusieurs prétendent que c'est une vraie chauve-souris géante, qui défie les lois de la nature. Mais l'explication la plus plausible serait que c'est tout simplement une illusion optique causée par divers phénomènes climatiques.

— Donc, l'affaire est close, conclut Iref. Quelqu'un a autre chose ?

— De ton côté, Nellina, tu as pu obtenir quelque chose d'intéressant de cette vieille dame ? demandé-je. Pourquoi elle nous regarde toujours ?

— Adria, pour répondre à ta seconde question, s'esclaffe Nellina, la vieille dame ne nous regarde pas particulièrement, mais elle possède deux yeux de verre qui donnent cette impression.

Nous pouffons tous de rire. La situation est vraiment à s'y méprendre.

— Nonobstant, cette vieille dame m'a parlé de choses plutôt anormales. Elle m'a confié entendre des activités nocturnes provenant du vieux château sur la colline.

— Un vieux château ? demande Iref.

— En bref, ce château a appartenu aux elfes et ensuite aux vampires. Ce qui est inquiétant, c'est que depuis plusieurs décennies, il est totalement abandonné. Peut-être que cette dame est sénile, mais s'il n'y a ne serait-ce qu'une part de vérité dans ce qu'elle dit, il vaudrait mieux aller y faire un tour.

Nous sommes interrompus par le gros serveur, qui, en cognant sur l'épaule d'Iref, lui indique l'arrivée des jumeaux.

— Les voici, gronde-t-il.

La scène nous fait hurler de rire. Les jumeaux en question sont des vieillards d'une grandeur d'un peu plus d'un mètre et sont rousselés de partout. Il y en a même un qui utilise une vieille branche en guise de béquille. À vrai dire, ils sont tout le contraire de Della et d'Ébrisucto.

Une situation dont Sir profite :

— Avec beaucoup d'imagination et de boisson, on pourrait peut-être se méprendre. Une chance qu'on t'a comme investigateur, le beau-frère. Viens vite, on doit les arrêter.

Après avoir taquiné Iref pour son étourderie, nous faisons le point sur les renseignements recueillis. Nous avons quelques vieilles légendes locales, une ombre de chauve-souris géante, des jumeaux vieillards totalement différents de ceux que nous cherchons et des bruits dans un vieux château, entendus et analysés par une vieille femme aux yeux de verre. Quelle enquête ! Nous avons déjà fait mieux. Bref, après avoir débattu quelques heures et ingurgité quelques coupes de vin, nous concluons que la seule piste sensée est ce vieux château abandonné.

Malgré l'heure tardive, nous n'avons toujours pas de nouvelles de JA. Inquiets de l'absence du petit, nous décidons de partir à sa recherche. Espérons qu'il ne s'est pas mis dans le pétrin. Je n'aurais pas dû le laisser partir seul. Après tout, c'est un enfant.

Nous n'avons pas à le chercher bien longtemps, car dès nos premiers pas hors de l'auberge, nous l'apercevons dans la cour, entouré d'une meute de chats. Il doit bien y avoir une trentaine de ces animaux. Toute la race y est représentée : des chats noirs, des bruns, des gris et même des tigrés. Bon Dieu ! Tous les chats du quartier sont regroupés ici. JA se tient debout au centre de cet attroupement, gesticulant et émettant des sons d'une drôle de tonalité. Les chats ronronnent en chœur, tout en se frottant avec allégresse sur les petites jambes de métal de JA. Un petit chaton blanc a même établi domicile sur sa tête.

— Que fais-tu, JA ? lui demandé-je, surprise de la scène.

— Ne me dérangez surtout pas, je suis en plein interrogatoire! s'empresse de dire le petit robot. Ça fait deux heures que j'essaie de synchroniser mes récepteurs, afin de comprendre le langage de ces fascinantes créatures. Pour l'instant, j'arrive à capter les phrases suivantes : «je t'aime» et «j'ai faim». Je sens qu'ils vont bientôt me donner des renseignements cruciaux pour nos recherches.

Sir est plié en deux. Même Nellina trouve la situation cocasse. De mon côté, mes sentiments sont plutôt partagés.

— Pauvre petit, comment lui dire, sans l'offenser, qu'il perd son temps?

— Hé! le zouave, lance Iref. Tes bestioles sont des CHATS! Que des chats! Tu sais, des animaux domestiques. Tu perds ton temps et le nôtre aussi!

— IREF!

— Quoi? On ne peut pas être plus clair que ça, non?

CHAPITRE 7

DANS L'ANTRE DE LA BÊTE

J'AI ENCORE DU MAL À CROIRE CE QUE NOUS sommes en train de faire. Sir, Iref, Nellina, notre petit JA-311 et moi arpentons présentement le sentier escarpé qui mène à ce qui fut déjà le nid de ces infâmes créatures (et qui pourrait bien l'être de nouveau) dans le but d'y trouver des indices.

Hier, après avoir entendu les propos de la vieille dame, je me disais que c'était une bonne idée, mais comme on dit, la nuit porte conseil, et maintenant, je me rends compte des risques que nous courons. Si c'est bien là que les vampires se terrent, nous nous jetons présentement dans la gueule du loup.

Le château, qui m'avait d'abord semblé accueillant avec son architecture elfique familière, m'apparaît maintenant sous son vrai jour à la lumière du soleil. La façade est complètement envahie par un lierre desséché, les remparts ouest sont à moitié démolis, les créneaux sont portés comme on porte des dents cassées — avec douleur et désolation —, et heureusement que les douves sont à sec, car les chaînes rouillées qui soutenaient autrefois le pont-levis, aujourd'hui complètement digéré par les vers, pendent tristement de chaque côté de la grille d'entrée tordue.

Cette vision d'abandon ne cadre pas avec le soleil éclatant qui embrasse toute la région et nous garantit l'absence des vampires. Alors que j'examine néanmoins les environs avec attention, j'entends Nellina expliquer aux garçons les origines du château.

Il aurait été construit par les elfes lorsque les vampires ont commencé à arriver en ville. Il devait, à la base, servir de protection contre ces créatures, mais ce fut peine perdue. Le château était bien positionné et permettait de voir l'ennemi venir, mais il était exposé et c'était chose facile pour les vampires d'escalader les murailles. Seules les douves étaient une défense efficace, mais la rivière qui les alimentait trouvait sa source dans les montagnes environnantes, et les vampires eurent tôt fait de la bloquer en causant un éboulement. Ensuite, ils creusèrent des tunnels pour répandre l'eau et finir d'assécher le fossé.

Les elfes furent alors attaqués chaque nuit et s'épuisèrent totalement en quelques mois, subissant de lourdes pertes. Au bout d'un an, ils abandonnèrent finalement le château pour la forêt, là où les vampires ne les trouveraient pas si facilement et où ils pourraient espérer un peu de répit. Les buveurs de sang en avaient alors fait leur demeure, avant de l'abandonner à leur tour quelques décennies plus tard.

— Mais pourquoi les vampires l'ont-ils abandonné ? demande JA, perché sur l'épaule de son père et toujours aussi attentif aux détails.

— On l'ignore, avoue Nellina. Nous ne sommes même pas vraiment sûrs du moment où ils l'ont abandonné. Tout ce que nous savons, c'est qu'un jour, nous avons constaté qu'ils habitaient les caveaux du cimetière, et quelques années après, c'étaient les cavernes des montagnes. Depuis, nous ne savons jamais vraiment où est leur véritable repaire.

Sir, qui affiche un air pensif depuis un moment, finit par déclarer :

— D'après moi, ces déplacements ont pour but de compliquer leur repérage. Dans cette guerre, chacun est à la fois la proie et le chasseur de l'autre. C'est un point à ne pas oublier ! Ces changements d'adresse imprévus ont sans doute pour double objectif de vous empêcher de les situer avec exactitude et de leur permettre de vous prendre par surprise. Cela ne m'étonnerait même pas qu'ils habitent simultanément deux endroits, question de ne pas trop attirer l'attention.

— Tu as probablement raison, Sir, acquiesce Nellina.

— Ouais ! Pa, c'est le meilleur !

— Allons, JA ! Ce n'est pas parce que j'ai gagné plus de sept fois le tournoi du continent de l'Est que je suis le meilleur…

— Sept fois ? demande Nellina, impressionnée.

— Tes victoires datent de plus de 1000 ans, le beau-frère ! Ça manque de prestige dans ces cas-là !

— Moi, au moins, j'ai des victoires à mon actif !

Alors que nos deux gars entament un débat houleux sur la véritable valeur des tournois médiévaux, je souris discrètement dans mon coin. Je suis heureuse d'entendre Sir parler ainsi, retrouver sa vantardise qu'il avait perdue en choisissant de m'accompagner. Il était difficile pour lui de trouver quelque motif de fanfaronner, dans le futur, alors qu'il était lui-même fortement intimidé par notre technologie. Mais ici, dans une époque plus proche de la sienne et entouré de ses semblables, je retrouve le Sir d'autrefois : baratineur, confiant et fin stratège. Voilà qui n'est pas pour me déplaire.

Une fois arrivés au bord des douves, les deux zigotos sont toujours à peser le pour et le contre des arguments de l'autre. Il faut que nous, les filles, intervenions pour mettre fin à la discussion. Attrapant chacune la main de notre partenaire, nous les faisons s'arrêter net.

— Bon, nous dit Sir en reprenant son sérieux, c'est notre dernière chance de rebrousser chemin. Si quelqu'un…

Sans attendre la fin de la phrase de son semblable, Nellina avance d'un pas et glisse sur les parois terreuses de la tranchée, jusqu'en son centre, avant de se retourner et de nous faire signe de la suivre. Je suis légèrement surprise par une attitude aussi téméraire de la part de notre guide, qui sait mieux que nous ce dont sont capables ces créatures, mais j'imagine qu'elle sait ce qu'elle fait. Mon frère la suit sans la moindre hésitation, et je lui emboîte le pas. Sir ferme la marche.

Nous ressortons des douves en secouant nos vêtements pour nous débarrasser de la terre qui s'y est déposée. La grille est tellement en mauvais état qu'il faut moins d'une minute à ma glace pour la jeter au sol. Alors que Nellina et Iref passent le portail, j'arrête Sir un instant.

— Hein ? Qu'y a-t-il, Adria ?

— Tu me passes le petit, s'il te plaît ?

JA, qui se reconnaît, devance la réponse de son père et saute de son épaule à mes bras. Sir m'interroge du regard, mais je me contente de lui sourire et de suivre les deux autres.

— Qu'est-ce qu'il y a, Ma ?

— Ne va pas répéter ça à ton père, je ne veux pas que l'on croie que je ne fais pas confiance à Nellina, mais j'aimerais m'assurer que nous ne sommes effectivement pas en danger, en pénétrant ici. Peux-tu faire un scan complet des lieux et voir si tu ne repérerais pas des « gens qui n'ont pas de pouls » ?

— Oui, Ma ! Donne-moi une minute !

Le regard de JA se vide, et je dois réprimer un cri quand je vois la tête du petit garçon faire tranquillement plusieurs tours complets sur elle-même. Je jette un coup d'œil à Nellina pour m'assurer qu'elle n'a rien vu. Ça ne semble pas être le cas, mais Sir se dépêche de me rattraper et de se positionner entre JA et elle.

— À quoi vous jouez ? lance-t-il.

— À rien... Euh..., JA a une défaillance...

Sir n'a pas l'air de me croire, mais n'ajoute rien. La tête de JA termine ses rotations et le petit me murmure :

— Excepté nous, il n'y a personne dans ce château, mais je détecte une chaleur étrange au sous-sol.

— Bon garçon, merci, JA, dis-je en lui caressant la tête.

— De rien, Ma !

Rassurée, je me demande néanmoins où sont passés tous les vampires, s'ils ne passent pas leurs journées à l'abri du soleil dans ce qui est considéré comme leur repaire. J'ai aussi une pointe de déception, car si JA les avait repérés, nous aurions pu rebrousser chemin en confirmant aux elfes que le château était bien leur demeure actuelle sans avoir à fouiller une structure à la solidité incertaine. Mais d'un autre côté, la possibilité de trouver des indices sur les jumeaux aurait été écartée.

Une fois dans la cour intérieure, j'observe ce qui nous entoure. Même vu d'ici, le château n'a pas meilleure allure. Les pierres de la structure sont craquelées, le sol aurait besoin d'un bon balayage, les pièces de métal sont laissées aux intempéries et des quelques structures en bois, il ne reste que des morceaux complètement pourris.

Je regarde un instant les imposants remparts sans pouvoir m'empêcher de penser qu'ils ne servent aux vampires qu'à leur fournir de l'ombre... Pendant toutes ses années pendant lesquelles ils ont abandonné la place, ils avaient à leur disposition une impressionnante forteresse, mais ils ont préféré jouer à cache-cache dans les grottes des montagnes environnantes ou les caveaux des cimetières, qui ne sont certainement pas aussi facilement défendables en cas d'attaque. Qu'ils se désintéressent d'une telle opportunité donne une idée de leur puissance. Je ne peux réprimer un frisson.

— Adria ! Réveille-toi ! me crie soudain Sir.

— Oui, sinon tu vas finir en steak, la sœurette ! complète Iref.

Je sors brusquement de ma rêverie, paniquée.

— Hein ! Quoi ? Un vampire m'attaque ? Où ça ?

— Non, Ma ! Mais tu vas griller, si tu n'éteins pas ça très vite !

À ma grande surprise, le bas de ma robe est en feu. Je l'éteins aussitôt et me tourne vers mon frère, qui étale un large sourire.

— Mais qu'est-ce qui t'a pris ?

Tout sourire, il s'approche de moi et me prend JA des bras pour le redonner à Sir. Il s'adresse ensuite à ce dernier et à Nellina, qui ne semble pas avoir détesté la plaisanterie :

— Vous pouvez nous laisser un instant ? J'ai à parler à la sœurette.

Les elfes s'exécutent, choisissant un passage et s'y engouffrant pour commencer la recherche. Une fois qu'ils sont hors de vue, je me tourne vers mon frère, toujours furieuse :

— Qu'est-ce qu'il y a ? Qu'est-ce que tu veux ?

— Que tu te relaxes !

— Quoi ?

— Je te l'ai déjà dit avant de partir, mais on dirait que ça ne te rentre pas dans le crâne ! Tu es toujours à cran ! Toujours ! On a l'impression que 24 heures sur 24, il y a une bombe qui est sur le point de t'exploser en pleine poire! Et je ne parle pas seulement avant un voyage ou dans cette époque! Même quand tu es de retour sous le dôme ou lorsque l'on a un répit entre deux missions, tu as toujours une raison d'être méfiante, anxieuse, craintive, malheureuse ou je ne sais pas quoi… Bref, j'ai de la misère à te reconnaître, depuis que tu as commencé ces missions. Écoute, je sais que t'as enduré pas mal d'épreuves et qu'il en reste un bon paquet encore, mais regarde aujourd'hui : il fait beau, les oiseaux chantent, t'es avec ton bel elfe noir, un petit morveux qui te prend pour sa mère, ton vénérable, formidable, incroyable frère adoré, une charmante elfe locale et, le plus beau, y a pas un vampire ou un cousin corrompu à l'horizon. Alors, on a beau être en mission, relaxe, souris et profite du calme tant qu'il n'y a pas de tempête!

— C'est quoi, cette histoire? Tu exagères! Et puis, tu sais bien quels sont les enjeux ! Tu sais bien les risques que l'on court ! J'ai bien le droit d'être à cran, non ?

— Écoute, je n'ai pas dit qu'il ne t'arrivait jamais de te détendre pendant les missions… Quand tu es au cœur d'un village plein d'elfes armés jusqu'aux dents ou dans un gratte-ciel rempli d'agents munis de pistolets laser et modifiés cybernétiquement, il m'est arrivé de te voir sourire… Mais je me suis rendu compte que dès que tu en as l'occasion, tu sautes sur la moindre raison pour retrouver une attitude de martyr traqué… Arrête de prendre le poids du monde sur tes épaules et relaxe-toi un peu ! Je ne dis pas que les risques et les enjeux ne sont pas importants ! Je les connais bien ! Mais bon sang, Dridri ! On a beau vivre 300 ans en moyenne, si tu ne veux pas que le compteur s'arrête à 200 pour toi, apprends donc à te détendre !

Je reçois les commentaires de mon frère comme un coup de poing. J'ai vraiment ce genre d'attitude ? Je ne peux m'empêcher d'être sur la défensive :

— Qu'est-ce qui me vaut ce beau discours, tout à coup ?

Iref prend alors un air rêveur et met les mains dans ses poches. Regardant le ciel, il me répond :

— Eh bien, vois-tu…, ça fait un moment que j'ai remarqué ce comportement chez toi, mais je le comprenais parfaitement et je me disais que c'était normal, avec ce qui t'était arrivé et ce qui était à venir. Je n'abordais pas les choses de la même façon, mais je me disais que c'était une manière comme une autre de voir les choses, même si je n'aimais pas trop voir ma sœurette dans cet état. Mais il y a quelques jours…

Iref fait une pause pour jeter un coup d'œil du côté du passage par lequel ont disparu nos trois compagnons, avant de poursuivre :

— Après avoir rencontré Nellina, je n'ai pas pu m'empêcher de comparer ma situation avec la vôtre, à toi et à Sir. Et je me suis demandé quel effet ça me ferait, si elle donnait toujours l'impression d'être

traquée, en zone dangereuse, ou malheureuse, en temps d'accalmie… Adria, j'ai
trouvé quelqu'un avec qui je traverserais
les enfers! Qui, par sa simple présence,
m'apaise et me rend plus fort! Toi, tu as
trouvé cette personne depuis plus longtemps que moi et, pourtant, on n'a pas
l'impression que tu le sais! Si je te dis ça,
ce n'est pas seulement pour toi ou pour
moi, mais surtout pour Sir et JA. Profite un
peu de la vie et de ce qu'elle t'offre! Crois-
moi! Qu'elle soit humaine, elfique ou dra-
gonesque, elle est trop courte!

Un silence gêné s'installe. J'ai honte
d'avouer que mon frère n'a pas vraiment
tort. Maintenant que j'y pense, c'est vrai
que je me suis apitoyée sur mon sort ou
que je suis demeurée sur les nerfs un peu
trop souvent. Cela avait-il fait souffrir Sir,
de me voir dans cet état? Mon frère m'a
ouvert les yeux, mais je reçois néanmoins
durement le coup.

— Je ne te dis pas d'arrêter d'être sur
le qui-vive non plus… continue-t-il pour
rompre le silence. Si tu ne l'avais pas

toujours été, on serait morts depuis long-temps. Mais on est assez forts pour se défendre un peu plus ! Alors, sois attentive d'une oreille et sers-toi de l'autre pour écouter ton moulin à parole de robot-fils, d'accord ? À moins que ce soit trop te demander de faire deux choses à la fois ? Oh ! et tu m'excuseras pour ta robe, mais quand je t'ai vue reprendre ta petite face inquiète, ça a été plus fort que moi... Et je me disais que ça ferait un bon préambule pour cette discussion...

Il m'offre un sourire bienveillant. La mine basse, je souris à mon tour.

— Tu devrais faire ça plus souvent.

— Quoi ?

— Être le grand frère responsable. Je te jure, la plupart du temps, j'ai l'impression de vous materner, toi et Sir !

Iref me passe son bras sur les épaules et me dirige vers la voie empruntée par les elfes. J'ai toujours un nœud dans l'estomac.

— C'est plus amusant d'être le grand frère à temps partiel. Du moment que la

petite sœur ne m'envoie pas faire de
sieste… Tu vas faire un effort?

— Je vais essayer, en tout cas…

— Tu sais que je t'adore, Dridri?

— Moi aussi, frérot…

Nous nous engageons dans le couloir délabré. Il fait sombre, car il n'y a pas de fenêtre pour nous apporter la lumière extérieure, mais Iref a généré un petit feu au creux de sa main libre, pour que nous puissions éviter de trébucher sur les débris répandus au sol. Comme c'est exactement le genre d'endroit où des vampires fuyant le soleil pourraient se cacher, je suis très contente que JA m'ait confirmé leur absence. Il m'est plus facile de faire des efforts pour me calmer. Sir et Nellina se sont tous deux allumé une vieille torche et nous attendent un peu plus loin.

— Vous en avez mis du temps! lance Sir à notre arrivée.

— Je suis désolée, Sir. Je m'excuse.

— Allons, c'était pour rire! On y va?

— Non, je voulais dire pour…

— Le beau-frère a raison, la sœurette !
me coupe Iref. Assez de temps perdu, on y
va !

Sans rechigner, je ne fais aucun cas de
l'interruption et suis les autres en silence,
tout en essayant de digérer les paroles de
mon frère.

Après quelques pièces délabrées rapidement inspectées, je respire déjà mieux :
le passé est le passé, et même si ce que
mon frère m'a dit est la vérité, maintenant
que j'en suis consciente, je peux tenter de
m'améliorer. Après coup, je suis même
heureuse qu'il m'ait exposé sa pensée.

Maintenant requinquée, je m'approche
de Sir pour lui prendre la main. Il
m'adresse un sourire et resserre son
étreinte autour de mes doigts. Retournant
la tête vers le couloir, j'aperçois rapidement
Nellina, qui m'adresse également un sourire avant de reporter son attention à l'endroit où elle pose les pieds. Sans savoir
pourquoi, j'interprète cela comme un bon
signe et me sens encore mieux.

— Tiens, tiens… Intéressant…

Après une nouvelle douzaine de pièces vides, nous sommes arrivés devant une porte de bois fermée, tenant encore sur ses gonds et même en excellent état. Je crois bien que c'est le premier objet que nous croisons ici qui ne soit pas complètement décrépi.

— Elle est verrouillée ?

Pour répondre à ma question, mon frère appuie sur le battant, qui s'ouvre doucement en grinçant sur ses gonds. Une fois la porte complètement ouverte, Sir entre, sa torche éclairant les murs. C'est une pièce extrêmement grande et haute, remplie d'objets. Iref crée une énorme boule de feu, qu'il envoie léviter à quelques mètres du plafond pour éclairer la pièce.

Nous restons tous figés. Des dizaines de fauteuils richement décorés occupent la quasi-totalité de l'espace au sol. Les murs, eux, sont couverts d'une douzaine d'étagères débordantes de livres divers aux couvertures de cuir, et l'espace mural restant est occupé par quelques centaines de tableaux de tous genres.

— Mais qu'est-ce que c'est que cet endroit ? murmure Iref.

— La preuve que les vampires sont revenus s'installer ici, réponds-je.

— C'est vrai, j'avais oublié qu'ils sont plus intelligents que nous, renchérit Sir. Mais malgré tout, je les imagine mal lire un livre ou apprécier un tableau…

— Je sais que c'est dur à croire, mais ils adorent ça, pourtant, confirme Nellina. Puisqu'ils tuent sauvagement, on a souvent le réflexe de les considérer comme des bêtes sauvages, mais ce n'est là que leur instinct de survie ; ils doivent se nourrir. Il nous est souvent arrivé de trouver des livres au milieu des cendres des vampires tués. Ce que nous avons compris, c'est que s'ils viennent de manger, ils ne dorment pas nécessairement durant la journée, alors ils ont bien besoin de s'occuper, lorsqu'ils ne peuvent pas sortir…

— Vu comme ça... N'oublie pas d'enregistrer ça pour la prochaine fois, le neveu. On pourra négocier notre salut contre des bouquins ou une toile de grand maître ! plaisante Iref.

Silence.

— JA ?

Je me retourne vers Sir pour constater que le petit a quitté l'épaule paternelle pour s'enfuir quelque part. L'elfe le cherche également des yeux.

— D'après moi, il est allé voir si les oiseaux peuvent nous en apprendre sur la localisation des sirènes...

— Iref ! Sir, quand est-ce qu'il est parti ?

— Aucune idée.

— Hé, la boîte de conserve !

— IREF !

— Désolé...

— Ici !

Sa petite voix nous parvient du pied de la plus haute des bibliothèques. Plus agile que les autres, je me faufile rapidement entre les fauteuils et retrouve JA en train de lire un livre presque plus gros que lui, assis sur le sol. Une dizaine d'autres bouquins ont été tirés de leur tablette et attendent en pile à côté de lui.

— Mais qu'est-ce que tu fais ?

— Je complète ma base de données sur les vampires en étudiant un échantillon de leurs lectures.

Je soupire en me demandant comment lui faire comprendre que nous n'avons pas de temps à perdre avec ça sans le blesser. Hors de question de demander au frérot !

Mais étant moi-même intriguée par tous ces livres, je décide de jouer son jeu un moment. J'en saisis un et l'ouvre pour en lire le titre.

— *Ma… Manes ium…* Que…

— *Manes ium* : terme latin qui signifie « esprits des morts », m'explique le petit sans pour autant abandonner sa lecture. Le latin était la langue des érudits, lors de la Renaissance, et…

Le laissant continuer sans vraiment l'écouter, je m'attarde maintenant aux caractères du livre. J'ai immédiatement été surprise de voir qu'ils n'étaient pas manuscrits, mais imprimés. Si je me rappelle bien mes cours d'histoire, l'imprimerie a été inventée vers l'an 1440 et a permis la diffusion de la littérature.

Mon regard se pose ensuite sur le tableau le plus proche. La scène représente simplement un fermier en train de semer son champ, mais la beauté de l'œuvre est tout autre. Je repense immédiatement à la vieille tapisserie médiévale représentant la scène de la fontaine, que j'avais vue dans un ancien livre, au dôme. Le dessin était grossier et sans volume. Ici, les techniques picturales d'ombre et de lumière donnent une dimension quasi réelle à la peinture, on a la sensation que le paysan va sortir de la toile. On distingue le moindre détail de ses muscles, de son visage et même des graines qu'il sème. Le paysage derrière lui est si lumineux qu'il me donnerait presque l'illusion de respirer le grand air.

Pour être franche, au milieu de ce village rustique isolé dans les montagnes, j'avais presque l'impression d'être de retour à l'époque médiévale, mais contre toute attente, c'est dans l'antre des vampires que je trouve des traces certaines de l'avancement des ans.

— Hé, vous deux! On n'a pas que ça à faire! nous lance Iref.

Alors que je me retourne vers JA pour lui dire qu'il est temps de partir, j'ai la surprise de ma vie. Derrière le gamin holographique, lisant par-dessus son épaule, en suspension à quelques centimètres du sol et le corps traversant en partie la bibliothèque, il y a un fantôme.

C'est un homme dans la trentaine, les yeux cernés, les joues creusées, les cheveux clairsemés et emmêlés, les vêtements déchirés, et le teint blafard, écœurant et translucide.

Je ne peux retenir un cri, qui a pour effet d'alerter les trois autres ainsi que JA, ni un mouvement de recul, qui a pour résultat de me faire basculer par-dessus un fauteuil.

Sir est près de moi en un instant et m'aide à me relever.

— Ouille…

— Ça va, Adria ? Mais qu'est-ce qui s'est passé ?

— Derrière JA…, il y a un…

— Qu'est-ce qu'il y a, Ma ?

Le petit robot est également à mes côtés, m'observant de ses grands yeux bleus, inquiet.

— Par le feu des enfers ! C'est quoi, ce truc ?

Iref et Nellina nous ont rejoints et, contrairement à Sir et au robot, ils ont tout de suite repéré ce qui m'a effrayée.

De nouveau sur pied, le cœur battant toujours la chamade, j'observe le fantôme. Il a gardé les yeux rivés sur le livre que JA a laissé au sol pour me rejoindre. Mon frère a les orbites de la grosseur d'une pièce d'or, et les elfes semblent légèrement surpris. JA, pour sa part, fait des allers-retours du regard entre nous et le fantôme.

— C'est courant, ce genre de bestiole, chez vous ? demande Iref.

— Je ne repère aucun insecte dans la pièce, tonton.

Pour une fois, le grand frère ignore complètement son neveu et se tourne plutôt vers l'elfe aux yeux verts pour obtenir une réponse. Nellina lui réplique :

— Je ne dirais pas «courant»..., mais c'est le troisième que je vois en 400 ans d'existence. La plupart du temps, il s'agit d'humains sacrifiés lors de rituels obscurs. Leur corps est mangé par les sacrificateurs et leur âme est convertie en énergie maléfique. Ne reste alors que l'esprit, condamné à errer sur terre. La majorité deviennent rapidement fous !

— Merci pour les précisions, Nelly, mais on a déjà JA pour ça, réplique Iref, qui ne semble plus très cohérent dans ce qu'il veut savoir ou non.

— Je préfère laisser la dame parler, dans ce cas-ci, répond JA, car ma base de données ne fait état d'aucun insecte de ce genre.

— Un ins… JA, nous ne parlons pas d'insectes, mais du fantôme ! le corrige son père.

— Fantôme : manifestation surnaturelle d'un défunt sous une apparence souvent partielle. Je ne détecte aucun phénomène paranormal, pourtant… Hum… Je manque de données sur le sujet, je dois étudier !

Le robot reprend son air inquiet et s'éloigne dans la pièce en jetant des coups d'œil dans toutes les directions.

— Bon, fais-je mi-amusée, mi-inquiète, apparemment, le petit ne voit pas les fantômes… Mais lui non plus ne semble pas nous voir, on fait quoi ?

En effet, le fantôme n'avait pas quitté le livre des yeux, ni fait le moindre mouvement pouvant signifier qu'il était conscient de notre présence. On pouvait croire que sa lecture le passionnait, mais en regardant bien, on pouvait voir qu'il fixait simplement un point indéterminé au cœur des pages.

— On pourrait l'interroger, propose Sir. C'est probablement le fantôme des lieux. Il sait certainement des choses sur les vampires.

— Bonne idée, Sir… approuve Iref. À toi l'honneur !

Apparemment, mon frère est aussi à l'aise que moi avec ce revenant. J'en ai vu des choses dans ma vie, mais là ! Ce fantôme me donne la chair de poule. Le calme royal de Nellina et de Sir m'est incompréhensible. Ce dernier s'avance d'un pas et prend la parole :

— Noble esprit de ce château, voulez-vous bien nous accorder audience ?

Quand il entend que nous nous adressons à lui, le fantôme sursaute, pousse un cri à s'en crever les tympans et s'enfuit par le plafond. Décidément, je déteste ces créatures.

— Félicitations, Sirenjavel ! se moque Iref. J'ai toujours su que tu avais une face à faire peur aux morts !

— Tu…

— Ah non, les gars! Gardez ça pour plus tard! Allons voir dans une autre pièce avant qu'il… AAAHH!

Je recule de nouveau brusquement pour me heurter à un fauteuil et terminer les quatre fers en l'air. Je me suis retrouvée nez à nez avec deux yeux translucides. Je me redresse aussitôt pour voir que le spectre est de retour, en lévitation, la tête à l'envers et exactement en face de l'endroit où j'étais il y a quelques secondes.

— Mais… vous RESPIREZ?

— En effet, noble esprit… répond Sir.

— Non, non, non, non, non, non, non! Je suis le 623e fils du drapeau cordonnier de choux de la région de la Palustre. Vous pouvez laisser tomber la noblesse, vous me gênez!

Je crois qu'il n'y a plus aucun doute à avoir : ce fantôme a une araignée dans le plafond. Sir nous jette un coup d'œil désespéré, témoignant de l'inconfort de sa situation. D'après moi, il a beau avoir la langue bien pendue, parlementer avec un fantôme cinglé n'est certainement pas dans ses habitudes.

— Dans ce cas, respectable revenant, croyez-vous pouvoir nous parler des actuels résidents de la place ?

Le fantôme ouvre complètement ses yeux hagards et balance la tête de gauche à droite.

— Les dents blanches ? Mes maîtres vénérés, vénérables et vertébrés ? Ceux qui vont libérer Pépin ?

— C'est vous, Pépin ? demande poliment Sir.

— Oui, Pépin comme dans : « Si ce fantôme a un cerveau, il ne doit pas être plus gros qu'un pépin de pomme ! » Les merveilleux, glorieux et adipeux maîtres de Pépin vont le tuer, si Pépin obéit bien… Et justement, Pépin veut dormir… Des verrues de saumon ne seraient pas de refus non plus…

L'apparition plie les genoux sur son ventre et se met à faire des tours complets sur elle-même, le regard dans le vide. Pépin m'apparaît maintenant plus désolant qu'effrayant. Prise de pitié et d'un doute, je me tourne vers Nellina pour lui poser une question, mais je n'ai pas le temps d'ouvrir la bouche que l'elfe me répond déjà d'un mouvement de tête attristé. Ce qui veut probablement dire que les vampires n'ont pas le moindre pouvoir sur les fantômes et que Pépin se fait berner. J'avais oublié qu'étant oracle, elle peut lire dans les pensées, bien que cela ne semble pas être sa spécialité.

— Que faites-vous pour vos maîtres, monsieur Pépin ? l'interroge Sir.

— Pépin réveille le maître des maîtres de Pépin, quand le soleil est couché.

— Et qui est le maître de vos maîtres, monsieur Pépin ?

— CHUUUUUUUUUUUT !

Un doigt sur ses lèvres blafardes, le fantôme fronce les sourcils et se retrouve à quelques millimètres du visage de Sir, qui sursaute.

— Pépin n'a pas le droit de parler du maître des maîtres ! Pépin ne dira rien sur le maître des maîtres au petit lutin bleu !

Iref ne peut s'empêcher de pouffer de rire, à ce moment-là. Je dois dire que c'est bien la première fois que je vois quelqu'un oser traiter Sir de lutin. Le fantôme reprend sa position fœtale et recommence ses rotations. Sir retrouve contenance et continue son interrogatoire.

— Vos maîtres habitent-ils ici, présentement?

— Jamais et toujours ils sont là et absents, Pépin aime lire, même s'il ne sait pas lire.

— Oui, mais en ce moment? Là, maintenant! Habitent-ils ici? Ou ailleurs?

Silence de la part du fantôme, qui s'est mis à marcher sur les mains, dans le vide. Voyant que Sir désespère un peu, je me lance à mon tour:

— Monsieur Pépin de la pomme… Y aurait-il deux dra… je veux dire, deux humains qui seraient venus ici récemment?

— Les respirateurs ne sont pas admis. Pépin doit chasser les respirateurs qui aspirent à entrer dans le château. Pépin doit chasser tous les aspirateurs du château.

— Plutôt efficace, le Pépin…

— Iref!

Je regarde Pépin, qui fait maintenant d'étranges contorsions grâce à son corps immatériel. Il me fait de plus en plus pitié, et ses réponses sont loin d'être claires. Je ne sais plus trop quoi lui demander, Sir non plus, apparemment, et Iref, ça m'étonnerait qu'il s'y risque. Je suis sûre que ses altercations avec le robot lui manquent, maintenant. C'est au tour de Nellina de s'avancer :

— Monsieur Pépin…

— Hein? fait-il en s'arrêtant alors qu'il passe la tête entre ses jambes.

— Vous m'avez l'air d'un fantôme bien occupé… Quelles pièces du château devez-vous surveiller, en l'absence de vos maîtres?

Pépin balance de nouveau sa tête de droite à gauche.

— Non… Non… Pépin n'a que quatre pièces à surveiller. Pépin peut traverser les murs sans se faire mal à la tête. Pépin veut un poney borgne, bicéphale et monopode…

— Quelles sont ces pièces, mon cher ami fantôme ? continue Nellina avec un sourire.

Le regard endormi du fantôme s'éclaire un peu, et un faible sourire se dessine sur ses lèvres.

— Pépin n'a jamais eu d'ami, avant… Pépin est content… Pépin doit surveiller la salle de lecture, la chambre des maîtres, le garde-manger et la chambre du maître des maîtres… Pépin, c'est mon nom, je suis le baron de la barbe rasée…

— Les autres pièces du château sont vides ?

— Non, non, non… Elles contiennent de l'air et de la poussière, et quand je vais les voir, il y a aussi un fantôme, dedans… Les charrettes devraient être mûres, cette année, non ?

— Pouvez-vous nous montrer les pièces que vous devez surveiller ?

Le spectre semble se figer un instant, puis fait demi-tour. Nous tournant le dos, il murmure :

— Pépin ne devrait pas... Pépin ne devrait pas... Mais Pépin a une amie, maintenant... Pépin pourrait... Pépin pourrait...

Son semblant de corps flottant se met en branle et s'avance vers le mur, avant de le traverser.

— Suivez-moi...

Je m'apprête à le suivre (en passant pour ma part par la porte, bien sûr), lorsque Sir me retient le bras.

— Adria, ce fantôme est cinglé et, même s'il ne nous veut pas de mal, il serait capable de nous perdre dans les oubliettes ou de nous mener dans une embuscade sans le vouloir. Tes pouvoirs te sont inutiles contre les vampires, et Nellina n'est pas une guerrière. Il n'y a pas grand risque, mais je serais plus rassuré de vous savoir ici.

— Mais non, il n'y a pas un seul…

— L'elfe a raison, pour une fois. Restez ici, vous deux, je vais suivre le drap de lit avec Sirendentruc.

— Bien, nous vous attendrons ici, dit Nellina, s'assoyant sur l'un des fauteuils et affichant un grand sourire à Iref.

Ce dernier rougit légèrement en sortant de la pièce, suivi par Sir, qui m'embrasse rapidement le front avant de lui emboîter le pas. Dès que la porte s'est refermée derrière eux, je fulmine :

— Grrr… C'est ça! Laissez les deux pauvres petites créatures fragiles derrière vous! Non, mais ils nous prennent pour qui?

Nellina se contente de me sourire. Je me rends alors compte à quel point je dois avoir l'air ridicule. Je m'assois près d'elle pour me calmer et engager la conversation, avant de me relever aussitôt. Où est JA? Il était parti en disant vouloir étudier les fantômes. Sur le coup, je pensais qu'il allait trouver un livre sur le sujet dans l'une des bibliothèques, et lire tranquillement dans un coin. Mais maintenant que j'y pense, qui sait ce qu'il pourrait bien inventer ?

— JA ! Petit ! Youhou !

Aucune réponse.

— Il ne doit pas être loin, allons le chercher, me propose Nellina. On ne peut pas dire que votre fils soit du genre à tenir en place.

— Non, en effet… JA ! JA !

Alors que Nellina part de son côté pour regarder entre les fauteuils, je m'assois plutôt sur l'un d'eux et me concentre. Une idée vient de me traverser l'esprit. Une légère brise parcourt la pièce. Rien. J'envoie de l'air sous la porte pour explorer le couloir. Toujours rien. Je commence vraiment à être inquiète. Mes courants s'engouffrent dans quelques pièces, longent les murs. Cet exercice commence vraiment à me fatiguer. Mais bon sang ! Où es-tu, JA ?

C'est alors que j'entends le vrombissement d'un petit moteur dans une pièce éloignée. Je me relève d'un bond, signalant à Nellina de me suivre. J'arpente les couloirs aussi vite que je le peux, me dirigeant grâce au son. Une fois arrivée, j'ouvre la porte à la volée. JA est en position de méditation au centre d'un pentagramme complexe, tracé dans la poussière du sol et autour duquel sont disposées plusieurs chandelles allumées.

— JA-311 ! Qu'est-ce que tu fais ici ?

— Chuuuut ! M'man ! Il ne faut pas parler ! D'après ma base de données, ceci est un rituel pour invoquer un fantôme ! Il me fallait des chandelles et du silence…

Un coup d'œil me suffit pour me rendre compte que la pièce est une vieille remise, qui a dû servir lors de l'occupation des elfes. Mais ce n'est vraiment pas ce qui me préoccupe pour le moment. Je me plante devant le robot et le regarde dans les yeux :

— Mais par le grand dragon, JA ! Qu'est-ce qui te prend de nous fausser compagnie ainsi ? J'en ai marre de devoir m'inquiéter toutes les 10 minutes ! Ne me refais plus jamais ça, tu m'entends ?

Le petit me regarde avec ses grands yeux bleus, qui deviennent humides. Zut, je vais être obligée de lui pardonner, maintenant. Je suis incapable de résister à ses yeux!

— JA a fait une bêtise? demande le robot.

— Oui, JA. Et tu as de la chance que ton oncle ne soit pas dans le coin parce que, sinon, il ne ferait qu'une bouchée de toi! Ne pars plus sans prévenir, d'accord?

— Ça rend maman triste?

— Oui, et ça m'inquiète, surtout…

— JA s'excuse…

— Ah non! Pas les grands yeux bleus!

Je soupire, résignée :

— Viens là, toi…

Je prends le robot dans mes bras. Ses petits membres métalliques m'entourent le cou malgré son hologramme.

— Vraiment désolé, maman…

— Allez, on va retourner dans la salle de lecture, car si ton père et ton oncle y reviennent avant nous, ils vont paniquer.

Me retrouvant de nouveau dans le couloir, j'aperçois Nellina à ma droite. Je n'avais même pas remarqué qu'elle m'avait suivie. Je m'apprête à lui dire que nous retournons dans la salle de lecture lorsque je remarque que quelque chose ne va pas ; elle me tourne le dos et ne semble pas aller bien.

— JA, retourne attendre ton père dans la salle et dis-lui où nous sommes, dis-je en déposant l'androïde au sol.

— D'ac' !

Alors qu'il y retourne, je m'approche de l'elfe et lui mets une main sur l'épaule.

— Nelly…, est-ce que ça va ?

— Tu en as de la chance… JA est tellement mignon…

— Est-ce que… tu pleures ?

— Ne les faisons pas attendre, ils s'inquiètent déjà.

L'elfe se retourne brusquement pour prendre la direction de la salle, ne me laissant pas le temps de voir son visage. Mais il n'y a aucun doute : une odeur d'eau caractéristique flotte dans l'air, une odeur d'eau salée.

Lui emboîtant le pas en silence, je ne parcours pas trois mètres que Sir se manifeste devant nous, son fils sur l'épaule et une torche en main.

— Adria, on a besoin de toi…

— Qu'est-ce qu'il y a ?

Je suis surprise par le teint pâle de mon compagnon.

Sur le chemin, Sir nous explique que la fouille de la chambre des vampires n'a rien donné. Si ce n'est que, grâce au nombre de cercueils, ils ont estimé le nombre de vampires à cinquante. Maintenant, ils ont besoin de moi pour aller visiter « la chambre du maître des maîtres », bien que Sir refuse d'en dire plus.

Après quelques couloirs et la descente d'un escalier, je retrouve mon frère, pâle comme la mort, à côté d'une porte en bois massive. Il a deux bandes de tissu dans les mains, et Sir s'empresse d'en saisir une pour m'en recouvrir les yeux.

— Mais que…

— Crois-moi, Adria…, il vaut mieux que tu ne voies rien. Nellina aussi aura les yeux bandés.

— Inutile, je sais déjà ce qu'il y a derrière cette porte.

Même sa voix est tremblante, rien pour me rassurer.

— Mais je croyais que vous aviez besoin de moi pour la suite… Que pourrai-je faire, les yeux bandés ?

— Penses-tu pouvoir générer autour de toi un flux constant d'air frais ?

— Sans problème, mais…

— Alors, fais-le ! On y va ! On va te guider.

Les gars me prennent chacun une main et je sens Nellina se placer derrière moi. Dès que j'active mes pouvoirs, j'entends la porte s'ouvrir, et les gars s'avancent au pas de course. Nous restons à peine une minute dans un silence de mort jusqu'à ce qu'une autre porte se ferme derrière moi et que mes guides poussent des soupirs de soulagement bien sentis.

Nellina me libère les yeux. Son visage ne porte plus la moindre trace de larme, mais l'inconfort y est visible. Je vois alors Iref, appuyé au mur, visiblement en train de retenir sa nausée, et Sir, assis sur le sol et aussi blême qu'un elfe noir peut l'être. Même JA semble figé d'horreur.

— Mais… qu'est-ce qui vous arrive ? Allez-vous enfin me dire ce qui se passe ? Qu'est-ce que nous venons de traverser ?

— Le « garde-manger »… murmure Iref, une main sur le cœur.

— Pépin n'a pas le droit d'aller plus loin tant qu'il n'est pas l'heure d'aller réveiller son maître, complète Sir. Il est retourné surveiller la salle de lecture, mais avant, on a pu lui poser quelques questions et obtenir quelques réponses au milieu de son délire…

— Le garde-manger est le seul accès à la chambre du maître des maîtres… continue Iref. Mais pour faire court, disons qu'apparemment, ce maître n'est pas seulement différent des autres vampires parce qu'il est plus fort… Lui, il n'a pas seulement besoin de sang, pour vivre… Il… Il doit…

Mon frère prend de profondes respirations et se tait. Sir poursuit :

— Il doit littéralement bouffer les corps ! Voilà ce qu'il y avait dans la pièce que nous venons de traverser, Adria ! Des corps d'elfes vidés de leur sang et en décomposition depuis parfois des mois ! En attente d'être mangés… Quand nous avons ouvert la porte la première fois, l'odeur nous a jetés à terre ! Et ce, sans parler de l'horreur du spectacle ! Nous savions que la chambre suivante était notre dernière chance de trouver des indices, alors nous t'avons fait venir pour au moins nous débarrasser de l'odeur… Mais malgré tout, c'était…

Ses mains se mettent à trembler. Je me penche sur lui et m'en saisis. Après avoir retrouvé les siens vivants, être témoin d'un tel carnage doit être des plus traumatisant. Ses mains cessent doucement de frémir. Nellina essaie également de calmer mon frère en lui passant une main dans le dos, lui qui semble sur le point de vomir.

Du coin de l'œil, j'aperçois JA, figé, et me souviens d'une chose… L'étrange chaleur ressentie par JA au sous-sol, ça devait être ça : les corps en décomposition. Un frisson me parcourt le dos.

— Bon…, on va la voir, cette chambre du maître des maîtres ?

Tous opinent du chef, mais personne ne réagit. Je décide de leur laisser un répit et monte alors la première en haut de l'escalier du couloir, en négligeant les torches — j'ai ma vision nocturne.

Une fois que je suis arrivée à la dernière marche, la première chose qui attire mon attention est l'immense cercueil qui trône au centre de la pièce. Sa taille est démesurée ! Il pourrait contenir au moins trois minotaures !

Déglutissant en pensant à la taille du chef de ces monstres, j'observe le reste de la pièce. Au temps des elfes, ce devait être leur salle de conseil de guerre antivampires. Du moins, c'est ce que les restes de fresques guerrières me font penser. Je remarque avec plaisir que quelques dragons sont présents dans les scènes. Ce sont même celles qui semblent avoir le mieux résisté au temps. J'avance de quelques pas pour essayer de voir s'il n'y aurait pas d'autres choses dans cette pièce, qui me paraît vide sous cet angle, si on enlève le cercueil, quand mon pied frappe quelque chose. Mon cœur se fige.

— Alors, du nouveau, la sœur?

Iref vient de me rejoindre, une main sur le ventre, l'autre au mur pour se soutenir, mais sur ses deux pieds, au moins. Le garde-manger lui a complètement retourné l'estomac.

— Regarde ça… dis-je sombrement.

— Mais… est-ce que c'est une…

— Écaille de dragon noir, oui.

— Alors, tu penses…

— Aux jumeaux, bien évidemment!

— Mais ils n'ont pas d'écailles, eux!

— Trethor, oui.

— Par la salamandre! Je l'avais complètement oublié, celui-là! Alors, s'ils sont venus ici, ce serait pour...

— S'allier avec les vampires. On aurait dû s'en douter!

— Se douter de quoi?

Sir et Nellina, encore pâlots, ont fini par nous rejoindre. Pendant que nous expliquons notre découverte à Sir, JA va examiner les fresques, et Nellina fait le tour de la chambre à la lumière de sa torche. Alors que nous jugeons les risques associés à une alliance jumeaux-vampires, Nellina nous fait signe de la rejoindre près du cercueil.

— Regardez cette inscription, sur le couvercle. Elle est à moitié effacée, mais je crois savoir ce qu'elle dit.

— Un truc comme... Quelque chose qui ressemble à... se risque inutilement Iref.

— Je crois qu'il est inscrit *Zeffren*. Regardez, la première lettre est évidemment un «Z» et ici, les deux «F» sont encore visibles. Si l'on observe bien, les «E» sont légèrement perceptibles, également. Or, il y a un Émiliot Zeffren enterré au cimetière. Son nom était très connu au village... de son vivant, du moins...

Nellina nous explique aussi que, si sa mémoire est bonne, les Zeffren étaient une lignée de gens nobles, longtemps aimés de tous. Selon elle, nous avons devant nous le cercueil d'un comte.

— Hum... fait Sir. Je crois que ce serait une bonne idée d'aller voir ça! De toute façon, tout ce que cette tombe contient, c'est un peu de terre, on n'en tirera pas grand-chose, et la nuit ne devrait pas tarder à tomber. Si on veut rentrer en sécurité, il faut partir maintenant.

— Très bien, soupire Iref. Après le château hanté, on a droit au cimetière! Tu parles d'une époque...

— ... *du bon tabac dans ma tabatière, j'ai du bon tabac, tu n'en auras pas... Trois p'tits chats, trois p'tits chats, trois p'tits chats, chats, chats...*

Nous levons tous la tête d'un même mouvement pour apercevoir Pépin passer au-dessus de nous en chantonnant et en nageant le crawl, alors qu'il n'aurait pas dû venir ici avant le coucher du soleil. De plus, il aurait dû nous chasser plutôt que nous renseigner. Décidément, le pauvre doit désespérer plus qu'aider ses maîtres…

CHAPITRE 8

DES TROUVAILLES
SURPRENANTES

DEVANT NOUS SE DRESSE UNE CLÔTURE EN BOIS, haute d'environ un mètre, qui délimite l'enceinte du cimetière de la ville. De l'autre côté, des pierres tombales s'étendent à perte de vue. En voyant tous ces morts, j'ai une petite pensée amère à l'égard de notre ami Mogar, qui a été lâchement assassiné par des ninjas.

Quelques arbres ici et là s'épanouissent à merveille avec leur feuillage d'un vert éclatant. J'en déduis que la décomposition des morts doit fournir aux racines de ces feuillus tous les nutriments dont elles ont besoin. Bien que ce soit un lieu plutôt funeste, cette vue m'est particulièrement agréable, après l'exploration du château hanté de la veille.

— Nous sommes chanceux, le soleil est encore avec nous! dis-je en pénétrant dans le cimetière, accompagnée de mes amis.

— Tu as probablement raison, me confirme Nellina, qui marche à ma gauche. Mais je suis quand même craintive.

— Pourquoi serais-tu craintive? lance Iref pour tenter de la rassurer en lui passant un bras autour des hanches. Nous profitons de cette belle journée ensoleillée pour faire une petite balade dans le cimetière. Rien de plus normal et relaxant!

Je souris en entendant les propos de mon frère. Sa propre anxiété est plus qu'évidente et pointe dans ses paroles malgré ses efforts pour en faire fi. Peut-être frérot ne se sent-il pas à l'aise dans un lieu comme celui-ci. Nous n'avons pas vraiment eu la chance de parler sincèrement de la mort et de nos croyances. À bien y penser, beaucoup de sujets sérieux n'ont jamais été abordés entre nous. Je vais rectifier ça dès notre retour.

Quelques pas plus loin, Iref nous arrête.

— Vous ne trouvez pas ça bizarre? Regardez la disposition des pierres… Je croyais que dans un cimetière traditionnel, les pierres étaient toutes alignées. Mais là, c'est un vrai labyrinthe.

Effectivement, je n'avais pas remarqué ce détail. Le nombre de pierres tombales sur le terrain est de loin supérieur à ce que j'ai vu auparavant. Elles sont toutes placées pêle-mêle et très rapprochées les unes des autres. C'est Nellina qui nous répond :

— Depuis l'arrivée de ces vampires, le nombre de morts a carrément quadruplé. Et c'était pire au début, avant que l'on comprenne comment les repousser.

Nellina prend une pause avant de continuer :

— Bref, n'ayant plus assez de place dans le cimetière, les habitants ont décidé de réduire l'espace entre chacune des tombes en plaçant de nouvelles stèles au travers. Les morts affluent… C'est horrible.

Mon sang se glace dans mes veines en entendant cette histoire. Il faut à tout prix faire quelque chose pour mettre un terme à la terreur que répandent les vampires.

— Vous n'avez pas pensé à les empiler ?

Mes idées sombres sont rapidement balayées par la réplique loufoque de JA. Nous affichons tous un petit rictus, sauf Nellina, qui semble plutôt étonnée par l'étrange idée du petit. Il n'y a que lui pour penser rationnellement, dans une situation pareille.

— Arrête de faire ton clown, JA… Ce n'est ni le moment ni l'endroit, lance Sir.

— Moi, un clown ?

JA prend quelques secondes pour faire des recherches.

— Clown : personne comique faisant des farces. Titre enregistré… JA, le clown.

Encore une fois, j'éclate de rire malgré la situation. Chose certaine, on ne s'ennuie pas avec ce petit. Je dépose délicatement ma main sur son épaule et il comprend ma demande. Rapidement, je reporte mon attention sur notre excursion.

— Les gars, montez la garde! Nellina, JA et moi allons chercher la pierre tombale de ce Émiliot Zeffren.

— Et pourquoi nous? On peut très bien chercher la pierre aussi.

— Parce qu'il faut chercher avec des yeux de fille, le frère. Tout le monde sait qu'un gars se perd dans un espace ridiculement petit.

Je prononce cette dernière phrase d'un ton farceur dans l'unique but d'agacer les gars. À ma grande surprise, Iref n'émet que quelques grognements, sans prononcer un seul mot de plus, et se retourne afin de monter la garde. Peut-être y avait-il un fond de vérité dans ces paroles, ce qui l'a piqué? Pour sa part, Sir se contente de hausser les épaules et s'élance comme une flèche afin de s'assurer de la sécurité des lieux.

J'entreprends la fouille sur ma droite, en scrutant minutieusement le nom inscrit sur chacune des pierres tombales. Mais je suis rapidement interrompue par JA, qui semble avoir trouvé un moyen beaucoup plus efficace. Après qu'il m'a exposé son idée dans l'oreille, je dépose notre petit robot de service sur la plus haute pierre des environs. Il s'installe confortablement et, en utilisant son scanneur, me transmet à voix basse les noms qu'il arrive à lire à distance. Nellina, elle, se trouve à quelques mètres de moi et semble dans un état mystérieux. Elle reste sur place, les yeux grands ouverts, dans une sorte de transe. Je dois avouer que ça me mystifie.

Soudain, le temps s'assombrit et le soleil perd de son éclat. Je lève rapidement les yeux au ciel, pour y apercevoir un phénomène des plus anormal. Des tonnes de petits nuages se forment et s'agglutinent pour finalement constituer un immense cumulus devant l'astre diurne. Tout est soudain grisâtre. Les quelques rayons de lumière réussissant à nous atteindre sont vite camouflés par le passage d'une gigantesque ombre d'oiseau. On dirait… Mais oui ! On dirait que c'est la légendaire chauve-souris géante dont nous ont parlé les taverniers ! Chose certaine, ce n'est pas une illusion optique. Je doute qu'elle soit là par coïncidence. Voilà autre chose ! Elle passe au-dessus de nous à plusieurs reprises, nous plongeant ainsi dans une obscurité inquiétante. J'ai beau tenter d'en discerner les traits, elle passe tellement rapidement que je n'arrive pas à la suivre des yeux.

Pendant que je me creuse la tête sur ces agissements, j'entends Iref nous alerter.

— Nous avons de la visite !

Je me tourne aussitôt dans sa direction et aperçois avec frayeur une dizaine de vampires courant à vive allure vers le cimetière.

— Peut-être des visiteurs pour prendre le thé ?

Bien sûr, JA ne reçoit pas de réponse à sa question farfelue. Et avant qu'il émette à répétition la même interrogation, je lui mets la main sur l'épaule.

— Allez, petit, nous allons devoir combattre.

— Que tous se préparent à l'affrontement! lance Iref.

Dix vampires. J'ai peine à imaginer un tel combat. Je révise du bout des doigts l'équipement dont m'ont fait cadeau les elfes, accroché à ma ceinture.

— Peut-être devrions-nous plutôt envisager la fuite?

— Trop tard, Adria, ils sont trop rapides, me murmure Sir. Et toi, JA, tu sais ce que tu dois faire, n'est-ce pas?

— Oui, Pa, je lance du sel.

— Oui, entre autres, mais je te parle aussi de la chose qu'on s'est entraînés à faire chez les elfes. Je crois que tu vas devoir t'exécuter bientôt. Tu attends mon signal, OK? Et pas de «si», pas de «quoi?». Tu le fais quand je te le dis, c'est tout.

— OK, Pa, répond le petit robot, heureux de faire partie des héros.

Personnellement, je n'ai aucune idée de ce à quoi Sir fait allusion. Mais je n'interviens pas. J'ai bien confiance en lui. Il n'a certainement pas embarqué le petit dans un plan complètement loufoque. Il ne ferait pas ça. Oh que non ! Sûrement pas en connaissant mon caractère protecteur et mes mains de glace...

Dès que les vampires pénètrent dans le cimetière, Iref amorce les hostilités en grand. Il crée un immense mur de flammes de plusieurs mètres de largeur, pour freiner la course de ces bêtes assoiffées de sang. Sir est en position de tir tandis que Nellina, JA et moi avons tous des fioles d'eau bénite à la main, attendant leur traversée.

Les secondes passent, et rien ne bouge. Aucun d'entre eux ne s'est encore aventuré dans le feu. Cela aurait-il suffi à les dissuader de nous rejoindre ? J'en doute. Le souffle retenu et le regard figé sur ces flammes orangées, nous attendons nerveusement le moindre signe de vie. Façon de parler.

Les minutes passent, et toujours pas de vampire en vue. Nous surveillons anxieusement les extrémités du mur de flamme.

— Mais que font-ils ? demandé-je.

— Ils vont venir, confirme Sir. Rappelez-vous, ce sont des créatures intelligentes. Ils nous étudient. Soyez prêts à toute éventualité.

— Hé, Pa, maintenant ?

— Non, JA, quand je vais te le dire.

— Ah ! OK, je croyais que tu m'avais parlé.

Après quelques minutes, Iref fait finalement retomber sa barrière et une plaine vide se dévoile de l'autre côté.

— Où sont-ils passés ? se questionne Sir, qui les cherche du regard.

Comme nous tous, d'ailleurs.

— On dirait qu'ils ont disparu, répond Iref.

— Non, ils sont ici.

— JA, ne dis pas n'importe quoi ! Ouvre les yeux, ils ne sont pas là.

— Mes yeux sont toujours ouverts, mais tonton ne me croit pas. Ma, dis à tonton qu'ils sont ici.

— Mais JA…

Je regarde partout autour de moi, pas la moindre trace de créature sanguinaire.

— … il n'y a aucun vampire dans le cimetière.

— Ils ne sont pas dans le cimetière, ils sont sous la…

La fin de la phrase que prononce JA ne me parvient pas aux oreilles, en raison d'un bruyant craquement derrière moi. Une parcelle de terre est projetée en morceaux aux alentours, et une pierre tombale bascule sur le côté. Un vampire émerge d'un grand trou dans le sol. Rapidement, une dizaine d'autres cavités apparaissent et forment un cercle autour de nous. Nous sommes maintenant pris au piège, la retraite est impossible.

— JA avait raison, constate Iref avec appréhension. Ils étaient bel et bien sous la terre…

— J'aurais dû m'en douter! analyse Nellina. Je me souviens que des catacombes ont été construites sous le cimetière.

— Neuf êtres sans pouls détectés au sol, et quatorze autres sous la terre! nous informe JA, nonchalant. Et maintenant, Pa?

— Non, JA, pas encore.

Vingt-trois vampires au total! Aussi bien s'offrir tout de suite en repas, le résultat sera le même. Sachant très bien que mes pouvoirs sur la glace ou l'eau ne me sont pas d'une très grande utilité contre ces adversaires, je saisis une autre fiole d'eau bénite accrochée à ma ceinture. Je vois Nellina en faire autant. Iref, les mains en feu, se prépare à les bombarder. Sir a de nouveau bandé son arc avec des flèches en bois de chêne, fabriquées de façon à faire office de pieux. JA, pour sa part, a l'étrange idée de sortir sa salière et d'en lancer dans toutes les directions. Disons-le, sa technique n'est pas très efficace, mais si elle peut garder les vampires à distance, ce sera parfait pour ce petit.

Sir décoche deux flèches avec détermination, mais les vampires ont anticipé notre attaque et se mettent rapidement en mouvement. Leur vitesse est si fulgurante que ni Sir ni Iref n'arrivent à les atteindre.

— Ils sont beaucoup plus rapides et plus forts que lors de nos derniers affrontements ! Il m'est impossible de simplement les frôler ! expose Sir, stupéfait.

— Lorsqu'un vampire ne mange pas pendant plusieurs jours, ses forces sont décuplées, explique Nellina. Son appétit et son besoin de se nourrir améliorent ses capacités physiques et sa rage. J'ai bien l'impression que ces vampires ont été sevrés de repas spécialement pour nous !

Voyant que le corps à corps sera inévitable, mon frère fait apparaître plusieurs petites flammes, qui gravitent autour de lui en guise de bouclier. Ainsi, les vampires ne pourront l'approcher sans se blesser eux-mêmes. Sir a empoigné de sa main droite son fameux poignard, la Plume d'oie, et tient dans sa main gauche une flèche en bois de chêne.

Après quelques tours additionnels pour nous observer, les vampires s'élancent vers nous. Deux me chargent, les crocs bien en évidence. Lorsqu'ils arrivent à proximité, je vide le contenu de mes fioles devant moi et pousse l'eau dans leur direction grâce au vent. Le premier adversaire s'effondre rapidement au sol. Sa chair brûle et il se consume sous mes yeux. Le second, effectuant un prodigieux bond sur le côté, esquive l'eau et s'en sort avec quelques brûlures mineures. Il me charge de nouveau. Je suis trop lente à réagir ; il me saisit à la gorge et approche ses crocs de ma nuque. Je peine à respirer. Il expire son souffle dégoûtant près de mon visage. Il prend même le temps de me humer quelques secondes avant de savourer son repas. J'essaie de me concentrer afin de me fabriquer une protection de glace, mais étant étouffée et étourdie, je n'y arrive pas.

Ma seule défense est maintenant ce petit collier de cuir autour de mon cou, offert par les elfes. Alors que j'appréhende la morsure dans les prochaines secondes, le vampire lance un cri de détresse et me lâche soudainement. Quelques coups de Plume et une flèche en plein cœur plus tard, le vampire est réduit en poussière, laissant apparaître derrière lui mon amoureux.

— Merci, chéri, il s'en fallait de peu, cette fois-ci !

— Ç'a été un plaisir, gente dame, répond Sir. Tu vois à quoi peut servir cette puce.

Je lance un regard en direction d'Iref et vois que lui aussi a son lot de problèmes. Un vampire, un véritable colosse, semble l'avoir blessé gravement. Nous accourons à sa rescousse. Dès notre arrivée, Iref s'écroule au sol et son armure de flamme s'éteint. Je remarque qu'il saigne du bras gauche… Il a probablement été touché, et le poison des vampires fait son œuvre. Sir s'occupe du colosse alors que, pieu à la main, je me rends au secours de Nellina, qui est à bout de souffle. JA, un peu plus loin, fait tout pour empêcher un vampire de monter sur sa roche. On dirait un gamin qui joue au roi de la montagne.

Une chance que nous avons notre ceinturon. Son équipement est des plus efficaces. L'ail que je lance continuellement au sol semble les affaiblir. Voyant probablement que leurs attaques au corps à corps n'ont pas de résultats concrets, les cinq vampires restants décident de reformer un cercle autour de nous et amorcent une course rapide, nous griffant à leur passage. Une astuce bien songée. Avant d'être blessée trop sérieusement, je fais apparaître mon dôme de glace en guise de protection, mais leur poison m'étourdit déjà, de plus, la vitesse de leur course accentue considérablement la puissance de leurs coups, je ne tiendrai pas longtemps.

— Je crois, les amis, qu'il va rapidement falloir trouver une idée de génie, car le dôme va bientôt lâcher.

— JA, prépare-toi, ça va être le moment.

— D'accord, répond JA, heureux d'enfin participer.

— Qu'est-ce que tu vas faire avec le petit? demandé-je.

— Adria, quand je vais te le dire, enlève le dôme et fais-nous confiance, répond Sir en bandant son arc.

— De toute façon, le dôme cède de lui-même.

— Vas-y, JA! Go, go, go!

Quelques secondes plus tard, les vampires s'arrêtent de tournoyer et se mettent à dévisager JA d'un air stupéfait.

Comme JA est dos à Nellina et à moi, je me déplace de quelques pas pour voir ce qui se passe. Le petit robot a reproduit sur son hologramme le visage d'un vampire. Mais pas n'importe quel vampire. Ni plus ni moins que celui d'un enfant vampire.

Les quelques secondes d'inattention qui s'ensuivent suffisent à Sir pour lancer ses flèches de chêne et faire disparaître en poussière quatre des cinq créatures. Malheureusement, l'une d'elles, probablement plus éveillée, reprend vite ses esprits et se faufile en vitesse dans l'une des cavités.

— Que s'est-il passé, exactement ? demandé-je à Sir.

— Owen m'a raconté que, bien que les vampires soient des bêtes, ils ont quand même un code de conduite. Et ne pas transformer des enfants en vampires fait partie de leurs premières règles. Je savais qu'ils ne resteraient pas insensibles en voyant un enfant vampire.

— J'ai scanné le visage d'un vampire et je l'ai superposé avec celui d'un enfant de sept ans, dit joyeusement JA.

— Bravo, JA ! lancé-je en le serrant fortement.

— Suis-je un héros ? demande la petite voix.

— Oui, JA, tu es un grand héros, réponds-je en le soulevant dans les airs.

À vrai dire, le résultat n'était pas très convaincant. Mais l'essentiel, c'est qu'il l'était suffisamment pour persuader les créatures. Chose certaine, JA vient de nous sauver la vie.

Pendant que nous célébrons la victoire de JA, j'entends des bruits de pas à proximité. Je m'aperçois que d'autres visiteurs sont en train de nous rejoindre. J'avais complètement oublié ceux qui étaient cachés sous terre. Ils ont probablement été alertés par le fuyard.

Le temps d'avertir mes amis que 15 vampires assoiffés de sang nous encerclent toujours, les monstres sont déjà sortis de terre. Cette fois-ci, ce groupe ne semble pas trop affecté par l'hologramme de notre JA. Notre fugitif les a probablement informés de notre stratagème. Si nous ne faisons pas quelque chose rapidement, nous serons leur prochain repas.

Désespérée, je jette un coup d'œil aux autres. Sir semble encore disposé à se battre, grâce à sa puce, mais il est bien le seul. Iref est toujours couché au sol, blessé. Nellina n'a plus ni eau bénite, ni ail, ni sel, et elle est complètement épuisée. JA, lui, a repris sa salière, mais disons-le, contre autant d'adversaires, ce sera bien dérisoire. Pour ma part, je suis également vannée, et mon stock antivampires est presque vide.

— Si seulement cette ombre ne cachait pas les quelques rayons de soleil, nous pourrions essayer de les refléter à l'aide de nos miroirs, suggère Nellina.

En levant les yeux vers le ciel, une idée m'apparaît. Les nuages… Le soleil!

Je reporte toute mon attention sur mes pouvoirs. Je suis consciente qu'il me faut une grande concentration pour effectuer quelque chose de cette envergure et que jamais auparavant je n'ai réussi un tel exploit. Une fois suffisamment concentrée, je m'efforce de créer un puissant vent à des kilomètres au-dessus de nous, afin de faire bouger les nuages et de dégager le soleil. Ça doit fonctionner! Sinon, nous sommes perdus! Je me concentre, encore et encore. Sir et Nellina ont compris mon intention et ont posé leurs mains sur moi en guise de soutien. Nous sommes tous conscients que ma tentative est notre seule chance de nous en sortir. Malgré ma fatigue, j'intensifie la puissance de mes vents. Voyant que je n'arrive pas encore à déplacer ces foutus nuages, je tente le tout pour le tout et, dans un ultime effort, utilise toute mon énergie pour la transformer en bourrasques de vent. Doucement, les immenses cumulus noirs se déplacent pour peu à peu dégager l'astre de feu et de lumière.

— Il était temps, dis-je en mettant un genou au sol.

La majorité des vampires prennent feu et hurlent avant d'être réduits en poussière et éparpillés par le vent. Toutefois, quelques-uns d'entre eux, les plus rapides, bondissent sous terre avant d'être consumés.

Je m'écroule au sol et m'étends de tout mon long sur l'herbe du cimetière. Cet exercice m'a complètement vidée de mon énergie, plus aucun muscle de mon corps ne répond à mon cerveau. Les yeux mi-clos, je vois Sir s'agenouiller à mes côtés.

— Adria! Ça va?

Je peine à lui formuler une réponse audible.

— O… Oui… On… a… ré… ussi.

— Oui, ma chérie, et c'est grâce à toi.
À mon tour de te remercier.

Il approche son visage et me dépose
un baiser sur le front, suivi quelques
secondes plus tard d'un deuxième sur les
lèvres. Ceci m'aide à me détendre, à faire
tomber le stress du combat.

Alors que je reprends des forces, Iref se
relève, le poison du vampire s'étant probablement évacué de ses veines.

— Ma, Ma ! Toi aussi, tu es une
héroïne ! lance le petit avec ses grands
yeux brillants de fierté.

Nous rions tous de l'enthousiasme
de notre ami. Personnellement, ce petit
moment, qui peut paraître anodin, m'émeut
profondément. De voir mon fils ainsi, heureux et si fier de lui, me fait chaud au cœur.

— JA, un vrai chasseur de vampires !
lancé-je.

— Youpi ! Je suis un grand chasseur,
comme papa !

L'elfe prend une grande inspiration et
se gonfle le torse à la suite du commen-

taire de JA. Iref ne manque pas l'occasion de lui frapper le ventre, afin de lui redonner sa forme initiale et, surtout, de ramener notre ami sur terre. Nellina laisse échapper un petit rire en le voyant agir ainsi.

Enfin, mes forces me reviennent peu à peu et je parviens à me relever à mon tour. Nous n'avons pas très bonne mine. Nos vêtements sont de nouveau déchirés, et Iref a un bras taché de sang. Heureusement, l'hémorragie n'a pas duré. Je souris en constatant que même JA a modifié son hologramme pour avoir des vêtements abîmés, comme nous… Qu'est-ce qu'il ne nous inventerait pas, ce petit robot!

— Allez, trouvons cette tombe, que nous puissions déguerpir d'ici au plus vite! lance Iref avec autorité.

Nous approuvons d'une même voix et nous dirigeons vers le fond du cimetière, où JA me dit avoir aperçu des mausolées. Considérant la noblesse du comte, il est logique de croire qu'il se trouve dans un de ces lieux funéraires de grande taille.

Après en avoir observé quelques-uns, nous trouvons enfin le nom d'Émiliot Zeffren gravé sur la porte de l'un d'eux. Cette dernière est néanmoins sculptée dans la pierre et doit bien peser une tonne! Mes pouvoirs ne pourront pas déplacer cette masse; de toute façon, je suis exténuée. Iref non plus ne pourra pas être d'une grande utilité, dans ce cas-ci.

— La pierre bloquant cette entrée mesure 1,95 mètre de hauteur par 1,47 mètre de largeur, et pèse approximativement 1200 kilogrammes, soit le poids de 10 éléphanteaux nouveau-nés. Sa composition…

Je laisse JA exposer sa science pendant que je réfléchis à une solution. Tout à coup, Sir s'avance et pose les mains contre la porte.

— Qu'est-ce que tu fais, l'elfe? lui demande mon frère. Ton nain vient de dire combien ça pesait. Arrête, tu es ridicule.

— Nous devons entrer ici, alors nous allons entrer ici. Laissez-moi faire…

— Mais tu as entendu JA! lancé-je d'un ton énervé.

Sir ne m'écoute déjà plus. Il pousse de toutes ses forces contre cette pierre démesurée nous bloquant l'accès au mausolée. De grosses gouttes de sueur perlent sur son front. Nous attendons tous en silence, excepté Iref, qui ricane, trouvant la situation cocasse. C'est avec la plus grande des surprises que nous voyons la pierre se déplacer doucement. Constatant que Sir a besoin d'aide, Iref se joint à lui et pousse la pierre de toutes ses forces. Je ne sais pas si c'est le besoin d'aide de Sir qui a réveillé le frérot ou tout simplement l'orgueil de garçon, mais à eux deux, ils déplacent la pierre suffisamment pour nous laisser un passage.

Après cet effort, Sir s'écroule au sol, à bout de force.

— Respiration saccadée, pouls de 20 battements par minute et température à la hausse… Pa ne va pas bien!

L'analyse de JA m'alarme. Malgré ma faiblesse, je m'empresse de faire apparaître de l'eau pour en arroser Sir et lui en faire boire quelques gorgées.

— La puce… Adria… J'ai… trop utilisé… la puce… Mon corps…

— Je sais, je sais. Combien de fois je te l'ai dit, espèce d'idiot!

Je le gronde, mais sans réelle colère. Iref, lui, ne semble pas trop amoché. Qui sait, le connaissant, peut-être qu'il n'a même pas forcé. Que les gars peuvent être primaires, parfois! Nellina se porte volontaire pour rester aux côtés de Sir, le temps qu'Iref, JA et moi pénétrions dans le tombeau.

JA allume une petite lumière sur son front pour nous éclairer. Avec son hologramme, l'impression donnée est plutôt étrange. Considérant cette lumière comme un gadget d'enfant, Iref, d'un mouvement de la main, fait flotter une flamme à quelques centimètres du plafond, nous donnant ainsi toute la luminosité désirée. Au milieu d'une pièce vide se trouve un unique objet, une tombe. Une tombe ornée de pierres vieillies par le temps, aussi grosse que celle du château. Après avoir vérifié l'éventuelle présence de vampires, nous nous en approchons pour l'ouvrir.

— Ensemble, à trois… Un, deux, trois !

À nous deux plus JA, qui, debout sur le couvercle, croit nous aider en s'agrippant au rebord, nous parvenons à ouvrir le cercueil dans un nuage de poussière. J'utilise un petit vent pour rapidement la disperser et y voir plus clair.

— Mais c'est quoi, ça ? crié-je spontanément.

Des ossements y sont étendus, mais ce ne sont pas des ossements normaux. Je dirais plutôt très anormaux. Nous restons là, Iref et moi, figés de stupeur. Nous n'en croyons pas nos yeux.

JA, lui, en profite pour mesurer la longueur de chaque os, leur circonférence, et procède même à un test au carbone quatorze, afin de connaître l'âge des ossements. Le pauvre petit n'a pas remarqué que la date inscrite sur la tombe indiquait clairement qu'il était mort il y a de cela près de 200 ans.

De longues minutes passent ainsi alors que, bouche bée, nous contemplons le spectacle qui s'offre à nous. Nous entendons des bruits de pas derrière nous, mais ne nous retournons même pas. Une main se pose sur mon épaule.

— Qu'y a-t-il, Adria ? me demande Sir. On vous a entendus crier…

Dans un souffle, je parviens à formuler ma réponse.

— Ce squelette a des ailes… Les ailes d'un dragon !

Iref en action

Le tombeau

CHAPITRE 9

LES YEUX DE L'ORACLE

L'ATMOSPHÈRE EST DES PLUS FÉBRILE, AU VILLAGE. Les elfes se préparent à l'assaut du lendemain avec une ferveur non dissimulée, pourtant, c'est presque un silence de mort qui plane sur la forêt. Tout le monde sait ce qu'il a à faire et le fait avec une précision froide et calculée. Les elfes n'ont jamais vraiment été de joyeux fêtards, mais l'ambiance de ce soir est pire que jamais.

Je me suis installée sur le rebord de la fenêtre de ma chambre, un pied dans le vide et l'autre sur le sol de la pièce, appuyée sur le cadre. N'ayant rien à faire, je profite de la fraîche brise du soir et des étoiles. Un feu de surveillance a été allumé un peu plus loin ; désœuvrée, je modèle sa fumée à ma guise, grâce à mon contrôle de l'air. J'ai bien tenté d'offrir mon aide, mais on m'a donné de mauvaises excuses, comme celle-ci : étant donné que je fais partie des « sauveurs », je devrais plutôt aller me reposer… Comment dormir, avec ce qui se trame ? J'ai beau avoir promis à mon frère de faire un effort, des idées noires m'assaillent sans cesse et je ne peux m'empêcher d'être sur les nerfs.

La découverte faite au cimetière n'arrête pas une seule seconde de hanter mon esprit. Si les ossements du frère du maître des maîtres de Pépin étaient munis d'ailes de dragon, logiquement, le comte lui-même devrait en avoir. L'ombre qui hante les villageois ne serait donc pas une chauve-souris géante, comme tous l'affirment, mais bien un dragon! Et si ça se trouve, puisque les jumeaux sont ici pour lui, nous avons affaire à un dragon noir… Mais pire encore, un dragon noir vampire! N'ayant jamais entendu parler d'une telle créature auparavant, nous l'avons nommée «dragon des ombres». Qui sait ce qu'elle nous réservera? Je redoute déjà l'affrontement…

Essayant de nouveau de chasser ces pensées négatives, je reporte mon attention sur la nuit, à l'extérieur. Après avoir vaguement dessiné un oiseau dans la fumée grise, je jette un coup d'œil aux alentours : à part les gardes qui font leurs rondes et les volutes rougeoyantes des feux et des torches, rien ne bouge.

Je soupire, fais apparaître un peu d'eau au creux des mains pour me rafraîchir, puis descends de la fenêtre pour aller m'asseoir sur le lit. J'essaie de me calmer en prévision d'une nuit de sommeil réparateur, quand j'entends des voix se dirigeant par ici. Je maîtrise de mieux en mieux ce pouvoir qui me permet d'entendre à distance. Mais il m'arrive encore parfois d'être surprise par les sons que l'air m'apporte.

Trois personnes. Trois elfes qui parlent leur langue. Mais je reconnais l'une des voix.

Les deux que je ne connais pas s'éloignent rapidement et l'on frappe à la porte.

— Tu peux entrer, Nelly.

— Tu m'as reconnue ? dit-elle en ouvrant la porte.

— Oui, à la voix… J'ai de très bonnes oreilles…

— Je vois ça… Tu peux venir avec moi, s'il te plaît ?

— Bien sûr ! réponds-je en me levant, intriguée.

Alors que je suis Nellina dans les corridors, un loup hurle, quelque part dans la forêt.

Après quelques minutes de marche, je remarque que nous prenons la direction du bâtiment principal. Puisqu'elle est la fille du chef, en plus d'être l'oracle de la communauté, je sais qu'elle y loge. Mais je me demande si c'est là qu'elle m'emmène…

— Au fait, pourquoi m'as-tu demandé de venir avec toi ?

— Pour plusieurs raisons, me répond-elle simplement.

— Et où allons-nous ?

— Dans ma chambre.

Comme je l'avais deviné.

Après encore quelques dizaines de mètres de trajet sur des ponts de cordes ou dans des couloirs de bois, elle ouvre une porte et s'engouffre dans la pièce. En la suivant, curieuse, je jette des coups d'œil à la chambre de mon amie.

La première chose que je remarque est sa taille immense, elle pourrait contenir trois ou quatre fois la mienne. Un grand lit à baldaquin à la literie bleutée, flanqué de deux tables de chevet pourvues de tiroirs, est situé contre un mur. Des dizaines de talismans aux symboles étranges pendent du dais, et un gros coffre de bois repose au pied du lit. Trois étagères remplies de livres, une autre de divers objets et deux commodes se partagent l'espace restant. Le dernier détail de la pièce est la gigantesque fenêtre, au pied de laquelle sont posés quelques gros coussins. La lune y est clairement visible, ce soir.

Je dois avouer que je suis quelque peu déçue. À part le lit et ses talismans, qui m'intriguent, le reste de la chambre de Nellina est d'une sobriété déprimante. Je ne m'attendais pas à y trouver une boule de cristal, mais quand même...

— Essaie ça.

En me lançant ce sourire énigmatique propre aux elfes, Nellina me fait un signe vers son lit, où je remarque des vêtements. M'approchant un peu, je constate alors qu'il s'agit en fait d'une armure... Mais... c'est impossible...

— Mais, comment...

— Quand vous avez évoqué le passé et mon ancêtre, je me suis permis d'essayer de capter quelques images de vos esprits, pour savoir à quoi il ressemblait... Dans l'esprit de Sir, c'est à peu près ce que tu

portais, non?

Je passe une main tremblante sur l'armure aux motifs d'écailles et caresse du bout des doigts le léger tissu bleu, avant de palper les brassards de cuir. Cette armure est exactement celle que je portais lors de mes voyages dans l'époque médiévale, à un détail près…

— Les épaulettes en tête de dragon étaient un peu trop complexes à réaliser dans le peu de temps dont je disposais pour les faire forger… Tu ne m'en veux pas trop?

J'ai l'impression que mes voyages en l'an 500 datent de dizaines d'années. Une nostalgie incroyablement apaisante enveloppe mon âme.

— T'en vouloir? C'est incroyable! Nelly…, je ne sais pas quoi dire! C'est vraiment un merveilleux cadeau que tu me fais là!

Elle me rend mon sourire extatique et m'aide à l'essayer. Elle me va comme un gant!

— J'ai hâte de voir la tête de Sir, quand je vais débarquer avec ça ! Comment puis-je te remercier ? Dis-moi ce que tu veux, et je te l'offre !

— On verra ça plus tard... Pour l'instant, quelques heures de ton temps me suffisent. Pour être franche, j'aimerais te parler...

Son ton mélancolique et son regard dans le vague modèrent un peu mon excitation. Je retire les pièces de métal de mon armure et ne garde que mon vêtement bleu, pour être plus à l'aise, puis je m'assois près d'elle, sur son lit.

Je me demande tout à coup si elle ne serait pas comme moi, redoutant les dégâts que fera l'attaque du lendemain. Elle s'inquiète probablement pour mon frère, qui sera sûrement en première ligne, avec ses dons idéaux contre les vampires. Mais n'étant moi-même pas sûre de ses intentions, j'attends qu'elle ouvre le bal. Malgré ses dires, elle ne semble pas vraiment vouloir parler ; le regard fixé sur l'astre nocturne, elle est perdue dans ses pensées.

Après quelques minutes d'attente, je me décide à ouvrir la bouche :

— Alors, hum… Ils servent à quoi, ces médaillons ?

Elle sort brusquement de sa rêverie et me regarde avec un sourire d'excuse :

— Désolée, je crois que je suis un peu fatiguée… En gros, ce sont des talismans antivisions. Étant oracle, sans eux, je ne dormirais pour ainsi dire jamais… Pendant le sommeil, l'esprit se trouve dans un état de conscience optimal, et c'est à ce moment que les visions sont les plus nombreuses et les plus fortes.

— Mais… si tu n'as pas ces visions, n'y a-t-il pas un risque que tu manques des renseignements importants ? Comme une attaque imminente ?

Nellina me sourit et me pointe la tête de son lit. Je me retourne et remarque pour la première fois un objet étrange, suspendu entre les montants du dais. Il s'agit d'un cercle de bois au centre duquel est tissé ce qui ressemble vaguement à une toile d'araignée. Quelques perles de bois ornent la toile, et des fils de cuir suspendent au cercle d'autres perles et des plumes.

— Ça s'appelle un chasseur de visions. Lorsque je me lève, je n'ai qu'à brûler les plumes, et les visions que j'aurais dû avoir pendant la nuit m'apparaissent.

— Pratique… Mais j'imagine qu'il faut remplacer les plumes après, non?

— Oui, en effet… me répond-elle avec un sourire.

— Bon…, assez de questions… De quoi voulais-tu me parler? D'Iref? lancé-je à la blague.

— Oui et non… En fait, je ne sais pas…

Son regard se perd encore une fois dans le vide alors qu'elle semble chercher ce qu'elle veut me dire. Je patiente de nouveau. Quand elle revient sur terre, elle me regarde droit dans les yeux.

— Adria… Qu'est-ce que ça fait, d'avoir un enfant?

Je reste figée un instant devant cette question.

— Heu, je… Tu sais… Heu…

Nellina éclate d'un rire cristallin devant ma mine déconfite :

— Je sais bien que JA n'est pas votre véritable fils, à toi et à Sir. Je sais même qu'il n'est pas humain, ni même vivant, bien que j'ignore ce qu'il est… Je veux juste savoir ce que ça fait… À peu près…

— Tu… Tu me poses une colle, là… Je ne sais pas trop comment dire ça… Pourquoi est-ce que… Tu ne comptes tout de même pas avoir des enfants avec mon frère, quand même ?

Nouvel éclat de rire de Nellina.

— Non, non, non… Ne t'inquiète pas… Je n'aurai jamais d'enfant…

Aussitôt, l'ambiance s'alourdit, et elle baisse la tête, triste. Je déglutis et n'ose pas parler. J'ai l'impression d'avoir commis une bourde. Une timide larme roule sur sa joue. Pour lui faire comprendre que je compatis, même si j'ignore de quoi il s'agit, je lui prends la main. Elle se tourne vers moi et me souris faiblement.

— Tu sais, quand on a le pouvoir de voir l'avenir, il y a parfois certaines choses que l'on doit taire ou faire, si l'on veut que tout se passe pour le mieux... Même si...

À ma grande surprise, elle s'appuie sur mon épaule et se met à pleurer pour de bon. Ne sachant que faire, je lui pose une main dans le dos et tente de la réconforter.

— Adria, je suis le dernier oracle... la dernière de ma lignée... Il n'y en aura pas d'autres, après moi...

Je ne sais pas quoi lui dire et me contente de la prendre dans mes bras. Après un moment, elle sèche ses larmes, retrouve son calme d'une série de respirations et, gardant les mains sur les miennes, continue :

— Adria, quelque chose m'intrigue, chez toi... Toi et ton frère avez tous deux une aura complexe, qui témoigne d'un grand pouvoir, mais... chez toi, je détecte quelque chose... Quelque chose de familier... Aurais-tu des dons de voyance ?

— Mon aura ? ne puis-je m'empêcher de demander.

Nellina me sourit et m'explique :

— En tant qu'oracle, j'ai le pouvoir de voir l'avenir, de lire dans les pensées et le cœur des gens, de ressentir certaines énergies, d'utiliser certains pouvoirs et de créer des zombies…

— Des… Des QUOI ?

Nellina pouffe de rire devant ma tête, qu'elle vient évidemment de se payer.

— Ha ! ha ! ha ! Pas de zombies, bien sûr… Je suis assez douée pour les visions, la lecture de l'âme, quelques autres pouvoirs qui me sont accordés et pour ressentir les énergies, mais pour lire dans les pensées, j'ai encore du mal… Donc, ces dons de voyance ?

— Oh… C'est compliqué, vois-tu…

Je retire mes mains et m'en passe une dans les cheveux en réfléchissant. Je lui fais confiance et je sais bien que je peux tout lui dire, mais…

Je soupire et me décide à parler :

— D'abord, que t'a dit mon frère sur nous ? Sur la provenance de nos pouvoirs ?

— J'en sais très peu, m'avoue-t-elle. Il m'a juste dit que vous aviez en vous du sang de dragon. Mais j'ignore par quel miracle cela est possible, et comment vous faites pour être de la même famille, mais avec des pouvoirs opposés…

— OK…

Je lui raconte alors tout. Comme avec Sir, je me sens parfaitement à l'aise avec Nellina et je n'ai pas peur de lui dévoiler mes origines. Je commence par les raisons de la création du dôme et comment cela a mené les héritiers des pouvoirs des anciens immortels à se dévoiler au grand jour. Je continue avec le mélange du sang des races et, par le fait même, des pouvoirs, ce qui explique les capacités opposées dont Iref et moi bénéficions. Les spécificités de chaque espèce de dragon arrivent alors sur le tapis : les dragons d'air sont susceptibles d'être voyants, les dragons d'eau, des guérisseurs, les dragons de feu, des combattants et les dragons de terre bénéficient quant à eux d'une grande force.

— Et moi, comme, pour une raison inconnue, j'ai hérité des pouvoirs de deux dragons, air et eau, je suis supposément apte à devenir guérisseuse et voyante.

— Supposément ?

— Ma mère est un dragon d'eau et elle a essayé de m'apprendre à guérir… Je suis aussi douée pour ça qu'un poisson l'est pour voler ! Et pour les visions, j'en ai déjà eu, mais… les deux fois où ça m'est arrivé, j'avais perdu la mémoire, et c'étaient plus des souvenirs qui refaisaient surface qu'autre chose… Ah ! et une autre fois, c'était un ami qui me transmettait un message…

— Quel message ?

— Je n'en ai jamais parlé, mais… j'ai eu une sorte de vision dans le tombeau des elfes… Je crois bien que c'est le dragon d'or qui m'a parlé…

— Le dragon d'or ? demande Nellina, intéressée.

— Oui, il… Oh… Si je te raconte tout ça, ça va durer des heures, et il est déjà tard…

Une étrange lueur passe dans les yeux de l'elfe, et elle me sourit doucement :

— Si tu veux me raconter des souvenirs, on pourrait en avoir fini en 10 minutes… Attends…

Elle se penche sur sa table de chevet et en sort un petit couteau d'argent. Je regarde avec inquiétude l'instrument brillant. Elle tend la main et se fait une petite entaille dans la paume. Une goutte de sang y perle.

— Mais que…

— Attends, tu vas voir ! Heureusement que tu es réceptive à la vision, parce que, sinon, ça ne marcherait pas. Donne ta main gauche.

— Qu'est-ce qu'on va faire ? dis-je en lui tendant la main demandée avec inquiétude.

— Nous allons échanger nos souvenirs… Tout connaître de l'autre…

— Aïe! Quoi? demandé-je alors qu'elle m'entaille la main.

— Tu sais, Adria... je t'envie. Tu as un compagnon et un frère merveilleux, ainsi qu'un fils, et... tu as vécu tellement de choses... Voilà ce que je te demande en échange de l'armure : tes souvenirs. Je t'offre aussi les miens, c'est un marché équitable, non?

— J'imagine, oui... Mais... je n'aime pas trop ça...

Cette perspective me met en effet très mal à l'aise. Je ne le sens pas du tout, cet échange de souvenirs... Mais d'un autre côté, j'ai déjà accepté de lui donner tout ce qu'elle voudrait en échange. Moi et ma grande gueule! Je soupire et accepte sans enthousiasme. Nellina affiche un sourire tranquille.

— Mets ta main dans la mienne, regarde-moi dans les yeux et ne bouge surtout pas...

J'obtempère.

Au début, c'est le calme plat, la nuit est toujours aussi silencieuse et rien ne bouge.

Je commence à sérieusement trouver le temps long, à ne rien faire d'autre que fixer Nellina.

Quelques instants plus tard, toujours immobile, je me mets à douter de l'efficacité de la méthode quand, progressivement, des picotements me parcourent le bras avant de s'étendre au reste de mon corps. Je ne réagis pas jusqu'à ce qu'ils arrivent à ma tête.

À ce moment-là, j'ai l'impression que mon cerveau reçoit des décharges électriques. Après le troisième coup, je veux demander à Nellina d'arrêter, la douleur est trop forte. Mais je me rends compte avec horreur que je suis paralysée! Mon corps refuse de m'obéir! Je ne peux ni détourner mon regard de celui de Nellina, ni même ouvrir la bouche. Les décharges sont de plus en plus fortes. La douleur se propage à mon œil gauche, qui me semble transpercé d'une grosse aiguille.

J'ai l'impression de devenir folle, à avoir aussi mal sans pouvoir réagir. La douleur me donne la nausée. Les yeux de

Nellina, que je fixe toujours, me paraissent prendre des proportions démesurées. Le vert de ses iris emplit ma vision jusqu'à ce que le noir en prenne la place.

※ ※ ※ ※ ※

Lorsque je me réveille, un mal de tête des plus atroce me laboure le crâne. Désorientée, je n'ouvre pas immédiatement les yeux. J'ai passé la nuit à rêver des souvenirs de Nellina. La pauvre n'a pas eu la vie facile. Dès que ses pouvoirs se sont manifestés, elle s'est retrouvée surprotégée et surexploitée. Elle avait hérité des pouvoirs de sa mère, morte peu après sa naissance. Une vieille elfe, qui avait bien connu sa mère et ses pouvoirs, avait été chargée de l'éduquer, mais elle avait dû découvrir la plupart de ses capacités par elle-même. Elle avait été isolée toute son enfance et n'avait réellement connu son frère et son père qu'une fois devenue adulte. C'est à partir de ce moment-là, lorsqu'elle a eu le droit de décider elle-même de ses gestes et de son avenir, qu'elle a eu un semblant de vie et de contact avec le monde extérieur.

Malgré une certaine liberté et un respect inconditionnel de la part des autres elfes, en ces temps de guerre où les vampires massacraient les siens, Nellina avait eu énormément de pression afin de prédire leurs mouvements et ainsi éviter les pertes.

En comprenant cela, je ne peux m'empêcher de me sentir proche d'elle. En tant qu'héritière des dragons, je me devais de faire bénéficier le dôme de mes pouvoirs. Chaque type de dragon avait sa propre tâche. Mon frère, par exemple, œuvrait à la chaufferie. Puisque nous n'avions pas le moindre matériau à gaspiller en combustible, les pouvoirs des dragons de feu étaient essentiels, afin de garder le dôme à une température viable.

Pour ma part, j'avais hérité des deux tâches les plus essentielles et les plus exigeantes : fournir l'eau potable et l'air pur. Le dôme est un environnement complètement hermétique, et rien ne peut y entrer ou en sortir. Chaque jour, il me fallait purifier l'eau et l'air souillés, afin que la vie soit possible dans un tel endroit. J'étais souvent réveillée en pleine nuit ou arrachée à mes activités, afin de compenser les dégâts d'un problème d'étanchéité ou de tuyauterie. Mais malgré cela, j'avais été bien traitée, respectée et même choyée. Bien que mes obligations fussent fatigantes et accaparantes, je n'avais jamais été isolée ou tenue à l'écart, contrairement à Nellina.

Depuis 15 ans, elle bénéficiait néanmoins d'une certaine accalmie grâce à la prophétie de notre arrivée, qui annonçait également la fin de leurs ennuis. Étonnamment, les souvenirs qu'elle a de cette période sont empreints d'une étrange tristesse, et la vision prophétique m'est apparue brouillée et rapide, alors que ses précédentes visions étaient on ne peut plus claires. C'est à peine si j'ai pu nous reconnaître.

Son souvenir des dernières semaines est la chose la plus bizarre que j'aie jamais vue. Prenant la place de Nellina (puisque ce sont ses souvenirs), je me suis vue me parler à moi-même et même être en couple avec mon propre frère, avec tout ce que cela implique. Cette expérience fut des plus désagréable, et combien étrange ! Je ne veux plus jamais revivre ça, même en souvenir ! Curieusement, cette période, qui aurait dû être la plus fraîche et donc la plus claire, s'était avérée chaotique. De nombreux moments avaient été occultés par un étrange brouillard, et les instants de bonheur qu'elle a vécus avec mon frère étaient immanquablement suivis de crises de chagrin dont j'ignore la cause. Je sens qu'elle me cache des choses... mais quoi ?

J'ouvre les yeux. À ma grande surprise, je constate que je suis dans le lit de Nellina. Les rayons du soleil et une brise chaude, qui se mêle aux talismans et les fait s'entrechoquer, passent par la fenêtre. Sir est à mon chevet. Le haut de son corps complètement couché sur le lit où il dort à poings fermés.

Je remarque alors que j'ai les joues humides. Je m'essuie les yeux et m'apprête à passer la main dans les cheveux de neige de mon amoureux pour le réveiller, quand je sens quelque chose dans ma main droite. C'est un mot de Nellina.

Chère Adria,

Merci pour tes souvenirs ! Tu as vécu de merveilleuses aventures, et ce fut un honneur de les vivre également à travers toi. J'espère que ma vie ne t'a pas trop déprimée. Peut-être te poses-tu certaines questions ; tu auras les réponses bien assez tôt, crois-moi !

Malgré tout, je te conseille de ne pas parler de ce que nous avons fait. Cela pourrait être mal vu. J'ai fait passer ta perte de conscience pour un malaise inconnu lorsque nous discutions, alors ne me fais pas mentir ! Tu passeras chez le guérisseur pour étayer cette version et soulager ton mal de tête.

J'ai un dernier cadeau pour toi et ton frère. Dans le coffre situé au pied de mon lit, il y a deux sacs qui vous sont destinés. Tu n'auras aucun mal à les reconnaître. Surtout, ne les ouvrez pas avant d'être de retour à votre époque ! C'est très important !

Porte-toi bien,

Nellina

Je me redresse difficilement et glisse le papier dans ma chemise. Je regrette un peu que Nellina ne soit pas là elle-même pour répondre à mes questions.

Bah, je lui parlerai plus tard… pensé-je.

Je pose délicatement la main sur l'épaule de Sir pour le réveiller. Je dois aller voir le guérisseur, et puis… c'est aujourd'hui, le grand jour…

CHAPITRE 10

LE DESTIN

Nous sommes le 12 juin 1500, à l'aube d'une journée qui marquera l'histoire à jamais et, comble de malheur, une migraine me tiraille depuis mon réveil ! C'est aujourd'hui que va se jouer le destin des elfes. Dès le crépuscule, nos amis tenteront, dans un ultime affrontement, d'éliminer ces buveurs de sang et ainsi de retrouver leur liberté. Une liberté que, disons-le, peu d'entre eux ont ou auront la chance de connaître. Les pertes seront considérables, mais tous en sont conscients. Je suis généralement contre toute forme de violence, mais je dois admettre que pour nos amis, c'est probablement leur seule chance avant que ces créatures les éliminent petit à petit. Quelque part en moi, je les comprends de vouloir se battre pour leur liberté. C'est un peu ce que nous faisons, après tout. Et à bien y penser, si moi aussi je devais sacrifier ma vie pour sauver ma lignée, je le ferais sans hésitation.

Les préparatifs se déroulent depuis près d'une semaine, mais à voir leur résolution et leur entraînement, j'ai l'impression que toute leur vie tourne autour de cette journée décisive.

Selon notre réalité, c'est à la suite des pertes considérables de cette confrontation que la lignée des elfes disparaîtra quelques années plus tard, en 1507, plus précisément. Je vois mal comment l'addition de quatre personnes ou, devrais-je dire, de trois personnes et demie, pourra changer ce destin. Néanmoins, Nellina est toujours convaincue que nous sommes les libérateurs et que nous avons un rôle important à jouer dans leur histoire. Il est vrai que les renseignements recueillis lors de notre visite au château et au cimetière, principalement ceux qui concernent le comte, donnent à nos amis une petite longueur d'avance. Mais sincèrement, un doute persiste.

Pour l'instant, nous n'avons pas trouvé Della et Ébrisucto, mais le lien qui les unit avec ce dragon des ombres est plus qu'évident. Nous avons rapidement compris que c'est bien pour lui qu'ils ont traversé le temps et ils ne repartiront pas tant qu'ils n'auront pas obtenu ce qu'ils désirent. S'ils sont bien à cette époque, ils seront avec lui, c'est certain. Ils ont beaucoup trop à perdre avec la survie des elfes. Nous n'avons pas avisé le chef de leur présence. Inutile de rendre la situation plus alarmante qu'elle ne l'est déjà. Nous nous en occuperons nous-mêmes. Après tout, c'est bien la raison de notre apport à cette guerre, en plus d'être une affaire de famille en quelque sorte. Quoique je comprenne aussi les motivations de Sir.

Actuellement, nous aidons nos amis du mieux que nous le pouvons. Nous sommes dans les derniers préparatifs. Iref et moi finissons la confection de petits boucliers. Comme nous avons obtenu peu de renseignements sur les facultés de ce dragon des ombres, nous préférons ne pas prendre de risques. Un bouclier de protection contre le feu ainsi qu'un autre contre le froid seront disponibles pour chacun des combattants. Sir, de son côté, s'occupe des derniers arrangements des archers. Je crois que le chef a constaté ses talents et l'a pris sous sa tutelle. JA, lui, nous aide en nous fournissant diverses données et statistiques. Bien qu'elles ne soient pas très utiles, ça l'occupe et, surtout, ça évite qu'il fasse des bêtises.

❋ ❋ ❋ ❋ ❋

Dix heures trente, ma migraine persiste toujours. Nous sommes convoqués d'urgence à une réunion du conseil de guerre. Le conseil de guerre a été constitué spécialement pour cette invasion. Il est présidé par Owen, le chef des elfes, et composé de cinq autres membres privilégiés, dont Nellina. Toutefois, quelques-uns, comme c'est le cas pour nous, sont invités en tant que spectateurs. Un privilège qui nous donne, si j'ai bien compris, le droit d'écouter, mais sans pouvoir dire le moindre mot, chose qui n'est pas toujours évidente, pour moi. Monsieur Sir, lui, le chouchou du chef, est devenu membre en règle depuis hier. Au moins, de cette façon, je peux toujours faire passer mes idées par lui. C'est la première fois que j'assiste au conseil, voyons de quoi on y discute.

Dès notre arrivée, le commandant s'adresse à l'assemblée d'un ton nerveux.

— Je sais qu'il n'est pas coutume de se rencontrer en ces heures et en ce lieu, mais une urgence l'impose. Je vous ai réunis en cette période tardive pour vous annoncer un changement radical à notre plan d'attaque.

Un plan que, jusqu'à ce jour, nous ne connaissions pas, ou peu.

— Mais chef…

— Je sais qu'il est tard pour un revirement, mais nous avons de bonnes raisons de croire que l'ennemi a eu vent de notre stratégie et se prépare à une riposte.

— Mais chef, nous avons…

— Pas de discussions, impose le chef d'un ton ferme.

Owen étend alors sur la table une grande carte et, d'un ton assuré, indique clairement sa nouvelle stratégie.

— Depuis quelque temps, nous nous préparons à une attaque souterraine.

Voilà encore un fait nouveau pour moi.

— Comme l'ennemi est maintenant au courant, nous allons procéder autrement. Nous allons donc attaquer le château directement par le nord. Jadis, cette façade était infranchissable, mais puisqu'elle est maintenant à moitié détruite, il est beaucoup plus aisé d'y entrer. C'est aussi l'endroit le plus proche de la forêt.

Nous pourrons donc nous en approcher avec facilité.

— Mais chef…

— Notre supériorité en nombre et notre armement, accompagnés de l'effet de surprise, suffiront à anéantir ces créatures. Je vous le garantis. Nous allons également retarder l'heure de la frappe. L'attaque se déroulera à vingt heures.

— Mais chef, pourquoi changer l'heure ?

— Afin de s'assurer qu'ils soient tous arrivés.

— Mais chef, nous…

— Pas de mais, pas le temps, entamez les préparatifs. Assurez-vous que les combattants soient prêts. Allez, maintenant, vite. On se revoit dans deux heures pour une dernière réunion ici même.

C'est la première fois que je vois Owen dans cet état. Il semble nerveux et déstabilisé par les événements, lui qui habituellement garde son sang-froid. Une intervention que je trouve plutôt surprenante, laissant surtout des milliers de questions en suspens. Par quels moyens les ennemis avaient-ils eu vent de notre stratagème? Bien que ce plan ne soit pas mal, je m'attendais, de la part de ces gens ayant trois fois mon âge, à quelque chose de plus sophistiqué. Attaquer de front les vampires, sérieusement, je crois que c'est beaucoup trop risqué, même en nombre supérieur.

J'essaie d'obtenir plus de détails de Sir, qui semble d'un calme surprenant, vu la situation. Il essaie tant bien que mal de me rassurer :

— Attends, Adria, tu vas voir.

— Mais attendre quoi? Vas-tu me dire ce qui se passe ou non?

Heureusement pour Sir, quelques minutes plus tard, le chef nous convoque de nouveau dans le pavillon.

Owen nous attend, mais cette fois-ci, d'un air plus posé.

— Si vous regardez autour de cette table, vous constaterez qu'il nous manque un équipier. Riwel n'est plus parmi nous.

La raison de son absence est catastrophique. Riwel est parti rejoindre le clan ennemi. Depuis quelques jours, j'avais constaté un changement radical dans son comportement, mais de là à imaginer qu'il était devenu des leurs… Heureusement que j'ai toujours été discret sur les éléments les plus importants de notre stratégie. Quelque chose me disait de rester sur mes gardes.

Le chef reprend une respiration.

— Imaginez ce qui se serait passé si nous ne l'avions pas démasqué. Nous serions tombés directement dans un piège.

À entendre le chef, je constate que c'est une affaire de race, cette faculté de toujours tourner autour du pot. Les elfes ne peuvent-ils pas aller directement au but ?

— Heureusement, nous avons eu de l'aide de l'extérieur.

— De l'aide ?

— Il n'avait pas de pouls, s'exclame une petite voix près de Sir.

— Le fils de Sir, JA, ici présent, nous a grandement aidés. Merci encore, petit.

JA sourit.

— Désolé pour la mise en scène. Elle avait pour but d'apporter la confusion dans les rangs de nos ennemis. Maintenant, Riwel est allé leur raconter notre nouveau plan d'attaque et, s'ils y croient dur comme fer, nous aurons l'avantage de la surprise.

En tout cas, je ne sais pas si ça a marché pour Riwel, mais je peux dire que pour moi, c'est réussi, je suis toujours confuse.

— Chef ! Pourquoi Riwel a-t-il donc rejoint ces bêtes ? Quel est son intérêt ?

— Malheureusement, l'explication la plus plausible est que notre ami ait été capturé et qu'après avoir étudié sa physionomie, l'un d'eux se soit métamorphosé en lui. Je sais ce que vous pensez : les vampires n'ont pas cette faculté. Et c'est généralement vrai, mais croyez-moi, celui-ci est dans une classe à part. Sa présence en plein jour laisse croire à un âge avancé. Il se pourrait même que nous ayons eu la visite du maître lui-même.

— Le maître ?

— Oui, le comte lui-même.

— Chef! Qui nous dit qu'il n'y a pas d'autres vampires parmi nous?

— Moi, je vous le dis! crie la petite voix.

— Soyez-en assurés, nous sommes maintenant entre nous, assure le chef. Il est donc temps de finaliser les préparatifs du plan initial.

— Mais c'est quoi, ce plan, au juste? échappé-je à voix haute, ne pouvant plus me retenir. Oups! Désolée, je crois que je ne devais pas parler.

Un petit moment de silence s'ensuit. Owen se retourne vers moi et m'adresse un sourire délicat.

— OK, donc, pour les petits nouveaux, voici nos intentions : le groupe sera divisé en cinq équipes.

— Ne devrions-nous pas rester groupés? lance JA, ayant probablement accès à quelques renseignements sur le déroulement de diverses attaques antérieures.

— JA!

— Non, laissez, la question est perti-
nente. Il faut comprendre, fiston, que si la
tactique était d'attaquer le château, en
effet, il serait préférable de rester groupés,
mais ici, la stratégie est tout autre. Il s'agit
plutôt de ne pas les laisser sortir des lieux.

À vrai dire, je ne comprends pas très
bien où veut en venir Owen, mais connaissant les elfes, j'imagine que le reste des
explications va venir d'un moment à
l'autre. J'interroge du regard Owen, Sir,
Nellina et le reste de l'assemblée, mais je
me tais, cette fois-ci.

— Le comte connaît depuis quelques
jours la date de notre attaque du château,
qui, je vous le rappelle, est le lieu de son
éternel repos. Il a inévitablement convoqué
la totalité de ses troupes afin de le protéger
et, du même coup, en finir avec nous.
Actuellement, la majorité des vampires
doivent dormir dans le château ou ses souterrains. Ils doivent prendre des forces
pour l'ultime riposte.

Owen frappe brusquement du poing sur la table, faisant ainsi sursauter JA, qui l'utilisait comme banquette.

— Chers amis, le moment tant attendu est enfin arrivé. Nous n'aurons pas d'autre opportunité de les retrouver tous au même endroit.

Iref me murmure :

— Je ne sais pas trop ce qui les réjouit. J'imagine l'armée de vampires se préparant à passer à l'attaque. Moi, ça me donne plutôt la trouille. Pas toi ?

— Chut, Iref.

Le chef prend une gorgée d'eau et reprend son discours là où il l'a laissé.

— Comme je disais, cinq équipes ont été constituées. D'ici quelques minutes, la première équipe profitera des heures restantes du sommeil de ces créatures pour aller anéantir ce qui reste du mur sud du château. Je vous rappelle que c'est l'une des seules façades encore debout, leur procurant ainsi une protection contre la lumière du soleil. Une fois ce mur à terre, les espaces ombragés de la cour seront pratiquement nuls. Depuis quelques mois, les membres de cette équipe travaillent à construire certains outils qui leur permettront de venir à bout de cette muraille rapidement. Nous croyons que 30 minutes seront suffisantes pour cette opération. À la suite des événements récents, et connaissant maintenant la capacité du comte d'intervenir au grand jour, nous devons inclure un nouveau risque à la manœuvre. Mais j'ai plutôt l'impression qu'il sera caché quelque part dans un souterrain, préparant sa nouvelle contre-attaque. Toutefois, advenant une intervention de sa part, l'équipe se dispersera et prendra rapidement le chemin des bois, minimisant ainsi les pertes. Le comte ne se risquera pas à s'aventurer seul dans notre forêt, sachant qu'on l'y attend de pied ferme. Dès le retour de la première équipe, la deuxième entre en scène. Son rôle consiste à redonner vie à la source d'eau qui, autrefois, alimentait les douves entourant le château. Pour ce faire, ils doivent débloquer l'éboulement et refermer certains tunnels. Mais n'ayez crainte, les travaux ont été amorcés depuis quelques mois. Il ne reste plus que quelques roches à remuer. Et pour ceux qui se posent encore des questions, je vous rappelle que les vampires ne traverseront pas l'eau des douves en mouvement.

JA sourit.

— Parallèlement aux travaux de la deuxième équipe, la troisième partira barricader les deux entrées souterraines. Des roches seront disposées afin de couper les deux seuls accès souterrains du château.

— Mais les vampires sont forts, ils pourront facilement les enlever, ajoute JA.

— Pas si nous prenons auparavant soin de bien les asperger d'eau bénite et d'ail. Du sel sera également étendu en grande quantité aux extrémités, en guise de précaution. Nous allons aussi généreusement éparpiller, directement dans les passages souterrains, des gousses d'ail et du sel, évitant ainsi des allées et venues. L'odeur sera ravageuse pour tout vampire voulant s'y aventurer. Une fois ces trois étapes accomplies, et seulement si elles se déroulent sans embûches, nous amorcerons l'attaque. Ce qui nous place aux alentours de dix-huit heures trente. Un peu avant leur lever. La quatrième équipe sera constituée de nos meilleurs archers. Ils seront munis d'une recette maison, soigneusement préparée pour l'occasion. Ils utiliseront des flèches enflammées, que nous avons préalablement enduites d'huile de plante très combustible, à base d'ail. Tout ce qui est constitué de bois et de paille en sera la cible. Nous croyons que deux heures suffiront pour que le château soit réduit en cendres dans sa totalité. La sécheresse des lieux devrait entretenir les flammes une bonne partie de la nuit. La fumée aromatisée à l'ail s'infiltrera dans les plus fins espaces souterrains, provoquant ainsi confusion et pertes de connaissance. N'ayant plus d'endroit où se réfugier, les vampires seront alors contraints de sortir à l'air libre.

— Mais êtes-vous certain qu'ils vont tous mourir par le feu ?

— Le but, JA, n'est pas nécessairement de les faire mourir. Nous connaissons bien leur résistance. Nonobstant, nous voulons les étourdir assez longtemps pour que la lumière du jour fasse son travail. Au lever du jour, la dernière équipe de combattants n'aura qu'à finir le travail. Munis de pieux et de grands miroirs, ils auront simplement à refléter la lumière du soleil sur les quelques recoins ombragés leur servant de derniers refuges.

— Wow ! C'est un très bon plan, lance JA, heureux d'être parmi des gens aussi brillants.

— Mais que fait-on du dragon ? demandé-je.

— Soixante archers l'attendront avec leurs flèches enflammées.

— Si je peux me permettre, ne sachant pas encore s'il est vulnérable au feu, je vous suggère plutôt d'utiliser des flèches de bois de chêne. Après tout, il est fort probable que ce dragon soit aussi de la famille des vampires.

— En effet, Adria. Ton idée sera retenue.

Tout semble méticuleusement réfléchi. D'un côté, cela me rassure, mais je sais par expérience que, lorsqu'on s'attaque à un dragon, principalement à celui-ci, tout peut arriver. Et même avec nos boucliers contre le feu, contre le froid, et soixante archers chevronnés, rien n'est garanti. N'oublions pas non plus Della et Ébrisucto, qui vont forcément intervenir. Il vaudrait mieux discuter avec frérot d'un plan B. Mais d'abord, je vais retourner chez un guérisseur : ce mal de tête va me rendre folle !

❇ ❇ ❇ ❇ ❇

Dix-huit heures quinze. Malgré l'heure hâtive, le soleil décline à l'horizon et des nuages apparaissent dans le ciel. Je crois que mère Nature nous joue encore des tours. Nous sommes 15 minutes en avance sur l'horaire prévu. La troisième équipe arrive sur-le-champ et nous annonce le succès de son intervention. À cette heure-ci, le mur de la façade sud est démoli, les douves sont remplies d'eau et les entrées souterraines sont bloquées. Tout se déroule comme prévu, et il n'y a aucune trace des jumeaux.

Des sentinelles ont été placées autour du château, afin de suivre la scène à distance et de réagir au besoin. La cour centrale du château est l'endroit où tout se déroulera. Si tout est conforme au plan, à la suite de l'attaque, la majorité des vampires devraient s'y réfugier.

Sir est en tête des archers et n'attend que le signal d'Owen pour envoyer la première rafale.

Ça y est, Sir obtient le feu vert. Les archers allument leurs flèches, se positionnent et lancent avec une parfaite synchronie cette première vague. C'est incroyable, j'en ai le souffle coupé. C'est la première fois que j'assiste à un tel spectacle. Le ciel sombre devient soudain flamboyant et étincelant. Une centaine de lumières orangées parcourent le firmament, comme si elles dansaient au son du vent. Je regarde Iref un moment et je vois dans ses yeux qu'il partage la beauté de cet instant.

Mais leur arrivée au sol me ramène rapidement sur terre. Les dégâts sont dévastateurs. Chaque impact produit instantanément une explosion et crée un feu. Le château, la cible principale, est bombardé et n'y échappe pas. Après quelques secondes, sa charpente est entièrement sous l'emprise de flammes dévastatrices. Comme prévu, une fumée noire s'en échappe, et ce n'est qu'une question de secondes avant qu'elle visite les souterrains du château. Je dois dire que la brise descendante que je maintiens sur le château aide un peu. Selon Owen, nous devrions voir les vampires émerger hâtivement. Malgré la situation, je ne peux m'empêcher de ressentir un malaise en pensant à l'effet dévastateur de cette attaque. Pourtant, je sais bien que ces choses ne sont rien de moins que des bêtes tueuses d'humains et d'elfes.

Quelques minutes plus tard, quelques créatures sortent du château, affolées.

— Quelque chose ne va pas, alerte Owen.

— Ils sortent, comme prévu, non? demandé-je.

— Mais à cette heure-ci, ils devraient tous être désorganisés et regroupés dans la cour principale. Tout au moins la majorité. Non, quelque chose ne va pas.

Son discours est écourté par l'arrivée d'une des sentinelles. L'elfe est paniqué et à bout de souffle.

— Chef! Les vampires traversent!

— Reprends ton souffle, petit, et explique-moi clairement ce qui se passe.

— Sur la façade est, un arbre a été déposé sur les douves en guise de pont et les créatures ont commencé leur traversée.

— Impossible! Ça prendrait un arbre gigantesque, intervient Sir. Comment pourraient-ils déplacer un tel tronc?

Mais Sir, en posant la question, y avait déjà répondu.

— Le dragon? lance Iref. Adria et Sir, venez avec moi, on doit s'occuper de ce pont et en finir avec ce foutu dragon.

— Une équipe va vous accompagner, propose Owen.

— Merci, mais il est préférable que nous y allions seuls. Vous aurez besoin de tous vos effectifs, avec cette meute qui s'avance vers vous.

— Nellina, prends soin de JA et, surtout, retourne au village. La situation risque d'être totalement imprévisible, ici.

Iref donne un dernier baiser à Nellina, qui semble avoir du mal à lui lâcher la main, et se précipite vers l'est à la course, suivie par Sir, et moi, qui prends la main de mon elfe. Nous avons le vent dans le dos, et il porte jusqu'à mes oreilles les paroles d'Owen alors que nous nous éloignons.

— Ce type est un vrai chef ! s'exclame Owen. Nous n'avons pas le temps de rebrousser chemin. Ils seront sur nous d'une seconde à l'autre. Encerclez le périmètre de sel et d'eau bénite. Que chacun grimpe à l'arbre le plus proche de lui. De cette façon, nous aurons l'avantage de les voir venir. JA et Nellina, suivez Quarls. Pendant que nous les retenons, vous aurez le temps de rejoindre le cours d'eau, au sud. Les pieds dans l'eau, vous y serez tranquilles.

— Compris, père ! N'ayez crainte, je m'occupe d'eux, accepte Quarls.

— Nellina ? JA ? crie Owen. Bon sang, vous êtes où ?

— Bip ! Moi, je suis là, indique JA, accroché au pantalon de Quarls.

Toutefois, Nellina est introuvable. Je me mords la lèvre, inquiète. Ce n'est pas le moment d'en parler à mon frère, mais un pressentiment lugubre m'habite.

❈ ❈ ❈ ❈ ❈

Nous arrivons à la sortie de la forêt, du côté est du château. La fumée noire réduit considérablement notre champ de vision. Catastrophe! L'information est confirmée. Un tronc d'arbre fait bien office de passerelle, et les vampires le traversent lentement. Je n'aurais jamais imaginé qu'ils soient en si grand nombre. Un attroupement est entassé à l'extrémité du pont, essayant désespérément d'y accéder. Heureusement, la petitesse de l'arbre ne permet le passage que d'un seul vampire à la fois. L'empressement de certains, la maladresse d'autres, confus à cause de la fumée d'ail, entraînent le désordre total. Paniqués, plusieurs se jettent directement à l'eau, ce qui entraîne la décomposition de leur corps.

— Il faut empêcher ces bêtes de sortir! Tes boules de feu peuvent-elles atteindre le pont d'ici, frérot?

— Pas vraiment, me répond Iref. Je vais devoir m'avancer et sortir des bois, en zone découverte.

— Moi, je peux, confirme Sir en dégainant sa dernière flèche enduite d'huile de plant d'ail. On n'aura pas de deuxième chance. Mes flèches restantes sont faites de bois de chêne, et le feu n'y tiendra pas.

Iref allume la flèche, et Sir s'élance, avec la force et la précision qu'on lui connaît. La flèche enflammée s'envole comme un oiseau et atteint le pont en son centre. L'explosion provoque l'effroi dans le clan ennemi. Pris de frayeur, plusieurs sont emportés par les eaux. Les autres reculent de quelques mètres. Mais d'un côté comme de l'autre, la fumée d'ail a l'effet escompté. De l'endroit où nous sommes, malgré la fumée, nous pouvons discerner l'anarchie. Nous entendons des cris de peur, de colère et même de détresse. Ayant quelques difficultés à regarder cette dévastation, je suggère de passer à la prochaine étape.

— Je crois bien que le plan fonctionne, maintenant. Il ne reste plus qu'à retrouver ce foutu dragon.

— N'oublions pas non plus les jumeaux! nous rappelle Sir.

— Tu n'auras pas à attendre bien long-temps, sœurette, s'exclame Iref en pointant vers le ciel.

Avant même que le feu puisse se propager à l'ensemble du tronc, une ombre d'une ampleur exceptionnelle surgit des nuages grisâtres et se dirige vers la passe-relle. À première vue, la silhouette ressemble beaucoup à une chauve-souris géante. Mais à mesure qu'elle se rapproche, nous constatons avec inquiétude que nous avons affaire à une tout autre créature.

La bête est d'une laideur déroutante. Son regard vide est d'une froideur à faire frémir un yéti. Quoiqu'elle soit d'un noir total et possède des yeux rouge vif, sa morphologie est loin de celle du dragon noir. Il m'est difficile d'identifier avec exactitude la famille de ce dragon, car on dirait qu'il a subi une certaine mutation ou un croisement génétique. Des aiguillons recouvrent le corps de la bête, qui possède des ailes démesurées munies de griffes acérées. Son anatomie est immense et dotée d'une musculature surprenante. La perforation de ses ailes nous laisse présager un âge très avancé. Sa dentition est de loin la plus dangereuse que j'ai vue. La grosseur, la forme et le nombre de ses crocs, tout cela semble avoir été conçu pour lui permettre de broyer ni plus ni moins que les ossements de ses proies. Il vaut mieux éviter le corps à corps avec cette chose. Mais malheureusement, rien d'apparent ne me permet d'identifier la nature de son souffle.

La bête effectue une manœuvre inaccoutumée. Dans une descente, tel un faucon plongeant sur sa proie, elle survole le pont à quelques centimètres, produisant ainsi une bourrasque de vent sur son passage. Un vent suffisamment puissant pour contrôler l'ascension des flammes et réduire son intensité. Quelques coups d'ailes plus loin, la créature tourne sur elle-même et se prépare à un second passage.

— Il va éteindre les flammes, nous devons réagir rapidement! lance Iref, déjà parti au pas de course hors des bois.

— Non, IREF!

Pendant que je hurle désespérément pour qu'il revienne, Iref file vers la passerelle et la bombarde de ses boules dévastatrices. Son troisième essai est le bon, la sphère touche la cible. À la suite de l'explosion, le tronc cède et se brise littéralement en deux. La partie droite de l'arbre glisse lentement et se détache de ses ancrages pour finalement disparaître dans les eaux, emportant avec elle ses quelques passagers.

— Et maintenant, brûlez! Espèces de vermines! lance Iref en rebroussant chemin d'un pas rapide.

Un cri aigu se fait entendre du haut des airs. Son intensité m'oblige à me plaquer les mains sur les oreilles. La bête est folle de rage et se lance à la poursuite de mon frère. Sir a déjà commencé à mitrailler l'animal, mais les flèches de bois se brisent au contact de ce mastodonte. J'essaie de lui glacer les ailes, mais sans succès. Cette chose semble également immunisée contre le froid. J'agrippe une fiole d'eau bénite à ma ceinture et la projette en direction du dragon. À cause de la distance, je dois utiliser le vent pour l'atteindre. Au contact de ce géant, l'eau se transforme en petit nuage de fumée, sans pour autant faire broncher l'animal. Cette attaque n'a peut-être pas ralenti l'ennemi, mais maintenant, nous sommes fixés : cette chose est bien de la famille des vampires. Ça explique donc la mutation.

— Iref ! Le dragon fonce sur toi ! Cours ! lancé-je avec force.

Le dragon prend une inspiration, en préparation de son souffle, laissant entrevoir une substance verdâtre dans sa gueule. J'imagine que ce devait être un dragon noir, à l'origine. Espérant qu'il ne soit pas trop tard, je crie de toutes mes forces :

— C'est de l'acide, Iref ! Utilise ton bouclier de feu ! Vite, le feu !

Il a à peine le temps d'entendre ma voix. Iref se jette au sol, se retourne prestement sur le dos et s'enveloppe d'un feu ardent lui servant de bouclier. Le dragon, toujours en mouvement, projette son souffle, détruisant ainsi toute la végétation sur son passage. Le liquide de cette bête est si puissant que même les arbres à proximité sont anéantis. Heureusement que la protection de feu a résisté! Néanmoins, je constate que cette manœuvre a considérablement affaibli Iref, qui essaie de peine et de misère de se relever. La puissance de ce dragon est nettement supérieure à celle de Trethor Fraden!

Le dragon, constatant son échec, laisse échapper un soupir, pivote sur lui-même et se lance de nouveau à l'attaque. J'ai à cet instant l'impression que nous n'arriverons pas à nous en sortir, jusqu'à ce que j'entende Sir :

— Adria! Tu dois le ramener, je m'occupe de créer une diversion, prononce-t-il entre deux enjambées.

Sir bondit sur un arbre et profite du passage du dragon pour effectuer un saut des plus spectaculaire. Une voltige à laquelle, si je ne l'avais pas vue, j'aurais eu du mal à croire. En sautant d'un arbre de plus de cinq mètres, il décoche une flèche atteignant avec solidité la partie inférieure droite de l'aile de la bête. La flèche sectionne l'artère principale de l'aile et oblige la bête à poser pied. Le dragon exhale un second cri meurtrier et se tourne vers Sir. La bête lance à l'elfe un regard des plus sanglant, tel un bourreau avant la mise à mort.

Sir se fige quelques instants. Un instant qui manque de lui coûter la vie. L'énorme queue épineuse du dragon frappe de plein fouet l'arbre à ses côtés. Le végétal est broyé sur le coup. Sir sursaute et se met à bondir d'arbre en arbre, évitant de peu les attaques répétées de la bête.

Je profite de son inattention pour secourir Iref, mais l'imbécile a préféré en finir avec ce monstre. Il utilise ce qui lui reste d'énergie pour générer une immense colonne de flammes en direction de la bête. Le feu est dévastateur et gruge l'animal avec rage. Un cri de détresse est lancé et la créature essaie de prendre son envol. Mais son aile brisée la retient au sol. Le corps en feu, les yeux rouge sang, la bête se tourne vers nous et crache son souffle mortel. Malgré toute la volonté d'Iref, sa flamme ne fait pas le poids contre la force de ce souffle et meurt lentement. Faute de ressources, je nous enveloppe d'un dôme de glace. Mais même avec le froid, je n'arrive pas à contenir la puissance de cet acide qui gruge inlassablement notre protection. Je lutte de longues minutes, qui m'apparaissent chacune comme une éternité. Pendant que mes forces s'épuisent à vue d'œil, j'aperçois Sir au loin qui a lui aussi sa source de malheur. Entouré d'une douzaine de vampires, probablement alertés par le cri de détresse de leur maître, il me regarde d'un air horrifié. Il a probablement compris lui aussi que, cette fois-ci, notre destin nous a rattrapés. Les larmes mouillant mes joues, je lui fais un signe d'adieu. Mon frère, les yeux pleins d'eau, utilise ses dernières forces pour me serrer tendrement dans ses bras :

— Désolé, sœurette... me murmure-t-il. C'est ma faute...

Dans un rituel dragonien, il me transmet ce qui lui reste d'énergie avant de s'écrouler au sol. Ce geste me permet de résister quelques secondes de plus, mais étant moi-même totalement exténuée, ma tête lourde et mes mains tremblantes n'ont plus la force nécessaire pour combattre. En regardant mon amour dans les yeux, je laisse aller doucement ce qui nous sépare des enfers en tombant à genou.

À la disparition du dôme, le dragon salive devant sa victoire et reprend sa forme humaine. Ou, devrais-je plutôt dire, sa forme de vampire. Sa prestance est démoniaque. Il s'approche de nous et me regarde un instant alors que je suis à ses pieds, ayant à peine la force de lever la tête pour le regarder.

— Argh !

La bête me donne un coup dans les côtes, qui me coupe le souffle, me fait faire quelques tonneaux et m'envoie m'affaler un peu plus loin. Je tremble de tous mes membres en essayant de rester consciente, et chacune de mes respirations sifflantes me donne l'impression d'un couteau planté dans ma chair. Il m'a fêlé, sinon cassé plusieurs os. Un rire sadique s'échappe de sa gorge devant notre impuissance. Son visage continue d'afficher un sourire cruel alors qu'il se tourne vers mon frère, les yeux brillants d'excitation.

De sa main droite, il redresse Iref comme une poupée de chiffon et l'appuie sur une roche. Le vampire soulève la tête, puis la main gauche vers le ciel. Et, dans un rituel démoniaque, se glorifie.

— Voici ce que je fais du sauveur des elfes. Que sa mort serve de témoignage de notre supériorité. Vive les immortels ! Vive notre ascension !

Le comte écarte les doigts, allonge ses griffes meurtrières et les imbibe d'une salive fraîche, ses yeux affamés tournés vers sa victime complètement démunie. Dans un mouvement rapide et bestial, sa main plonge vers le cœur d'Iref pour le lui arracher. Je regarde la scène, impuissante, les larmes aux yeux :

— Non…

Cependant, avant qu'il ait atteint sa cible, un obstacle s'interpose. En criant, une image s'interpose entre Iref et la bête. L'ombre prend doucement forme pour révéler une belle silhouette féminine. Quelques instants suffisent pour la reconnaître. C'est Nellina. Mon cœur s'arrête de battre un moment. Malgré la large plaie qui s'ouvre dans son dos, à la hauteur du cœur, son visage exprime la paix d'un ange et arbore son sourire unique. Une lumière scintillante englobe son corps d'elfe, nous laissant toutefois entrevoir sa blessure mortelle, d'où le sang coule abondamment en tachant sa robe. Elle est apparue de nulle part et a encaissé le coup, évitant les dommages à Iref. Nellina enlace mon frère, figé par la peur et la surprise, de ses bras grelottants et lui dépose un dernier baiser sur les lèvres. Sa respiration est courte et difficile, mais elle parvient à lui murmurer quelques mots à l'oreille, que je n'arrive pas à entendre.

Sur ces paroles tremblotantes, elle esquisse un dernier sourire. Les yeux de l'elfe se ferment, ses bras glissent le long de son corps et, appuyant la tête contre son amoureux, elle s'endort à jamais. Une dernière larme s'échappe de ses yeux clos, roulant sur sa joue avant de tomber à terre.

Amusé, le comte retire la main du corps sans vie pour se lécher les doigts.

Silence. Le monde semble figé.

Une étrange aura rougeâtre entoure peu à peu Iref, qui retrouve, je ne sais comment, la force d'enlacer dans ses bras le corps de Nellina, sa douce moitié. Posant la tête contre la sienne, il s'effondre sous le poids des larmes, comme un jeune enfant. Son corps tout entier tremble de tristesse. Voyant la scène, je ne peux faire autrement que d'éclater également en sanglots, oubliant la douleur ainsi décuplée de mes côtes cassées. J'ai déjà vécu une telle perte, et rien n'engendre autant de peine. Le monde s'écroule autour de nous, et rien n'a plus d'importance. Iref unit pour la dernière fois ses lèvres à celles de Nellina et, de ses mains tremblotantes, la dépose au sol. Un genou à terre, il lui murmure quelques derniers mots à l'oreille.

Un nouveau silence…

… interrompu par l'immonde créature.

— Voilà un autre elfe de moins. Et cela n'a pas été trop difficile, s'exclame le comte en accompagnant cet affront d'un rire infernal.

J'aperçois Iref frémir de la tête aux pieds et serrer les poings de rage, la lueur qui l'entoure augmentant d'intensité. Le comte n'ayant aucune réaction, j'ai l'impression que je suis la seule à la voir. Quand Iref lève la tête, ses yeux luisent d'une lumière mortelle, ses mains sont ceinturées de feu et tout son corps tremble de colère. J'ai souvent vu mon frère en rogne, mais jamais dans un tel état. Il a probablement l'impression que son monde vient de disparaître. Maintenant, sa raison de vivre se résume à la vengeance de sa bien-aimée. La peur monte en moi. La peur pour lui, mais surtout pour ce qu'il peut faire dans cet état. Je me rappelle en tremblant la réaction qu'avait engendrée en moi la mort de Mog. J'avais failli tuer des nains innocents et même Sir s'était retrouvé blessé par ma faute.

D'un mouvement brusque, Iref projette un souffle de feu, qui propulse avec facilité le comte à plus de 10 mètres dans les airs. Celui-ci va s'écraser sur un rocher, la chair embrasée. Le corps d'Iref prend soudainement feu, et il se transforme en véritable torche humaine. Des flammes orangées tourbillonnent autour de lui, alimentant la puissance de sa combustion. J'aimerais essayer de le refroidir, car j'ai l'impression qu'il va exploser, mais c'est perdu d'avance. Mon énergie est trop faible et son feu, si puissant… Je peine déjà à rester consciente… Le comte, encore étourdi, essaie désespérément de s'éteindre.

Brusquement, dans le creux des mains d'Iref, apparaît une sphère d'énergie d'une luminosité aveuglante. À un point tel que je dois me protéger les yeux. Aux cris de colère de mon frère, la sphère d'énergie grossit à vue d'œil, pour finalement atteindre la hauteur de deux hommes. Même moi, qui contrôle le froid, je dois m'éloigner devant la chaleur qu'il dégage. Dans un hurlement ultime, vraisemblablement perçu par la terre entière, Iref lance cette masse d'énergie avec force, directement dans le ciel. La sphère explose en laissant jaillir une lumière d'une intensité inconcevable. Je dois baisser les yeux au sol à cause de la luminosité et de la chaleur de cette chose. On pourrait la comparer à celle d'un soleil au grand jour. Des hurlements de détresse se font entendre de tous les côtés. Je ne peux m'empêcher de lancer un regard vers le château, pour constater que tous les vampires brûlent et se décomposent sous ce soleil artificiel. Incroyable! Iref a reproduit rien de moins que l'équivalent de la lumière du jour. Une clarté suffisamment puissante pour anéantir nos opposants. J'espère tant que Sir a pu gagner du temps et ainsi s'en sortir… Iref se concentre encore quelques secondes pour maintenir cette masse en l'air, puis s'écroule au sol, vidé de son énergie.

Je suis confuse, entre la tristesse d'Iref, mon inquiétude envers Sir et la joie de cette victoire. Je me traîne le plus rapidement possible, en faisant fi de la douleur, jusqu'au corps de mon frère, qui a repris son état naturel et une température normale. Constatant qu'il est toujours en vie, je laisse échapper un soupir de soulagement. Je m'appuie sur son épaule et reprends comme je le peux ma respiration, jusqu'à ce que j'entende :

— Et maintenant, à nous deux, émet une voix approchant en ma direction.

Ah non ! J'avais oublié le comte. Et, surtout, le fait qu'il résiste à la lumière du soleil. Je réussis péniblement à faire réapparaître mon dôme de glace, mais il lui suffit d'un seul coup de griffe pour le détruire. C'est fini… je n'ai plus le moindre gramme d'énergie. Nous n'avons pas vécu tout ceci pour mourir ainsi ! C'est impossible ! Je lui tourne le dos et, dans un dernier effort, tente un mouvement vers les bois, quand soudain je me sens soulevée par le cou et secouée comme une marionnette. La douleur est insupportable, mais de ma gorge étranglée, tout ce qui s'échappe est un gémissement.

— Pauvre petite chose blessée… N'aie pas peur… Bientôt, tu n'auras plus mal… J'ai besoin de nouveaux soldats, et ton frère et toi serez des recrues de choix…

Le comte a décidé que je serais plus utile en vampire. Le maître déchire sans effort ma protection de cuir et, la bouche ouverte, les crocs exhibés, s'avance pour prendre mon âme. Mais alors qu'il est à quelques centimètres de mon cou, j'entends siffler le vent, et la bête lâche prise. N'ayant plus rien pour me retenir, exténuée, je m'écroule au sol. Le comte ploie un genou et hurle de douleur. Je constate à cet instant qu'une flèche lui a traversé le cœur, le blessant mortellement. Quelques secondes plus tard, 10 autres flèches viennent se loger au même endroit. Dans un dernier hurlement, le comte explose, ainsi réduit en cendres noires, que le vent s'empresse de disperser. J'ai à peine le temps d'apercevoir Sir sortir des bois en courant, à la tête d'un groupe d'archers, avant de m'évanouir de fatigue, les larmes aux yeux, en prononçant les mots suivants :

— Sir..., je t'aime...

Le dragon-vampire

CHAPITRE 11

LE TEMPS TROUBLÉ

— Iref ? Iref, c'est moi… J'entre, d'accord ?

Aucune réponse. La porte coulisse pour me céder le passage. La chambre de mon frère est complètement vide. Son lit, sa table de chevet et le vivarium de Braise en constituent le seul mobilier. La fenêtre, en mode nuit, ne laisse passer aucune lumière, et Iref se résume présentement à une masse informe sous ses couvertures.

Une tasse bouillante dans chaque main, je m'approche tranquillement du lit, Saphir sur les talons, en ayant la désagréable impression d'avoir déjà vécu cette scène, mais dans le rôle opposé.

Iref ne réagit pas. Je dépose mon fardeau sur la table et lui mets une main sur l'épaule.

— Frérot…, je t'ai apporté un peu de cette boisson chaude… Tu sais, on en avait bu en l'an 3000… Je crois que ça s'appelle du café.

Aucune réaction.

Résignée devant son mutisme, je m'étends près de lui pour lui apporter un peu de réconfort. Je ne peux que le comprendre. Depuis que nous sommes revenus sous le dôme, la tristesse me ronge moi-même chaque jour. Mais je crois que ce qui m'a fait le plus de mal, c'est la réaction des elfes. Je ferme les yeux et me rappelle douloureusement ma dernière heure à la Renaissance…

❋ ❋ ❋ ❋ ❋

— Que... Comment ça, nous devons partir sur l'heure? Et l'enterrement de Nellina?

Je venais à peine de me réveiller. On m'avait informée que trois jours s'étaient écoulés depuis la bataille et qu'Iref était toujours dans les vapes. Mes côtes avaient été bandées durant mon sommeil, mais elles étaient loin d'être guéries, et je ne pouvais me déplacer seule. Sans l'armure que Nellina m'avait donnée, le comte m'aurait sans doute fait éclater un poumon. Je lui devais la vie.

Dès qu'Owen avait été informé de mon réveil, il était venu dans ma chambre et, à peine quelques secondes après son entrée, m'avait annoncé d'une voix grave notre départ imminent.

— Il aura lieu ce soir. Je ne permettrai pas que ma fille soit enterrée en une terre que vous foulerez encore!

— Mais... pourquoi?

J'étais choquée et complètement perdue. Le chef gardait son calme, mais son expression était des plus dure.

— Pourquoi ? Mais n'est-ce pas évident ? Vous avez peut-être débarrassé mon peuple du fléau vampirique, mais vous avez également laissé mourir ma fille, le dernier oracle à tout jamais !

— Quoi ? Mais… Mais… Nellina s'est elle-même sacrifiée pour sauver mon frère ! Vous ne pouvez pas nous rendre responsables de…

— Votre frère… Ah ! Je l'estimais, mais cette ordure a attendu que ma fille se tue pour lui avant d'utiliser ses pouvoirs comme il aurait dû le faire depuis le début ! Vous avez préféré vous donner en spectacle plutôt qu'épargner des pertes à mon peuple ! Vous avez de la chance que mon fils ne croie pas en l'évidence, sinon je vous aurais laissé croupir sur les lieux !

J'avais jeté un rapide coup d'œil à Quarls, qui se tenait tranquille derrière son père, un air désolé sur le visage.

— Mais c'est grâce au sacrifice de Nellina que mon frère a pu…

— Silence ! Je ne veux rien entendre ! Maintenant que vous êtes réveillée, vous pouvez prendre votre frère et quitter ces lieux ! Accomplissez votre rituel, et que je ne vous revoie plus jamais sur ces terres !

Abasourdie, je m'étais tournée vers Sir, qui ne m'avait pas dit un mot depuis mon réveil. Il gardait les yeux baissés et restait à l'écart. Pour gagner du temps, il avait apparemment fait croire que c'était moi qui avais le pouvoir de nous faire quitter cette époque et qu'il ne pouvait rien faire tant que je n'étais pas réveillée.

J'avais difficilement assimilé la nouvelle, et les larmes m'étaient montées aux yeux. Ma cage thoracique me faisait un mal de chien, avec la rage que je devais contenir, et ma migraine persistante n'aidait en rien. Outrée, blessée et furieuse, je soutenais le regard du chef.

— Nellina était mon amie... et elle était la petite amie de mon frère... Je ne pense pas que vous compreniez très bien les conséquences auxquelles vous vous exposez en nous empêchant de faire notre deuil...

— Votre deuil? Vous la connaissiez depuis moins de deux semaines! Savez-vous ce que cela représente, dans une vie d'elfe? Que connaissiez-vous réellement de ma fille? Rien du tout! Je n'ai que faire de vos menaces ou de votre deuil! Si vous n'avez pas disparu du village dans une heure, vous le quitterez sous une pluie de flèches! Adieu!

Alors qu'il se levait pour sortir, j'avais étouffé dans ma gorge les protestations qui y naissaient, en serrant les poings. La petite entaille que Nellina m'avait faite à la main gauche avait disparu, mais j'aurais voulu la brandir sous le nez de son père et lui lancer tout ce que je savais sur sa fille et qu'il ignorait sûrement. Quarls avait suivi son père en s'excusant silencieusement. Une fois la porte fermée, Sir s'était approché de moi en se confondant en excuses. Disant qu'il avait essayé de négocier, mais que rien n'y avait fait. Je l'avais à peine écouté, rageuse.

— Prends mon armure et les deux sacs qui sont sous mon lit, va chercher JA puis conduis-moi à Iref…

— Oui… Oui, bien sûr… Tu crois que même si ce n'est pas lui qui lit son médaillon, ça va fonctionner ?

— Il va le lire lui-même.

— Quoi ? C'est de la folie ! On ne peut pas le réveiller ! Ne me dis pas que tu te sens en état de le retenir, s'il s'énerve ! Si ç'avait été toi, je…

— Qui t'a dit que j'avais l'intention de le retenir ?

Sir m'avait alors regardé, complètement estomaqué. Mais peu m'importait. Si je me fiais aux souvenirs de Nellina, j'avais presque été sa seule amie, les autres elfes la plaçant sur un piédestal et l'approchant à peine. Si je partais d'ici sans lui rendre un dernier hommage, j'aurais l'impression de l'abandonner. J'osais à peine imaginer ce que cela serait pour mon frère.

Dix minutes plus tard, un rugissement faisait trembler la forêt et une colonne de flammes perçait le ciel. Mon frère, complètement auréolé de feu, ouvrait la marche vers le cimetière, brûlant tout ce qui se trouvait sur son passage, des simples murs aux flèches lancés par les elfes. Ces derniers essayaient de l'arrêter, mais n'osaient pas s'approcher de cette espèce de démon en pleine crémation. Derrière lui, Sir suivait, mal à l'aise, avec moi dans les bras, JA sur l'épaule et les cadeaux de Nellina sur le dos. Au fur et à mesure, j'éteignais les foyers créés par mon frère pour éviter un incendie et maintenait un mur d'air autour de nous afin de nous protéger des flammèches et des éventuels projectiles.

Une fois arrivés sur le lieu de la sépulture, nous avions facilement trouvé le bâtiment de pierre qui servait de funérarium : c'était le seul dans le genre dans tout le village-forêt. Iref en avait réduit la porte en cendres et nous avions pénétré à l'intérieur. D'un rapide coup d'œil, j'en repérais toutes les issues et les protégeais à l'aide de murs de glace d'au moins un mètre d'épaisseur. À la suite de cet exercice, je me rappelle avoir ressenti de la fatigue, mais pas outre mesure, mon sommeil de trois jours et ma rage du moment ayant certainement aidé.

Alors que nous passions le seuil, les flammes d'Iref s'étaient éteintes d'un coup et il s'était avancé doucement vers sa bien-aimée, étendue sur un autel de pierre, comme les quelques autres victimes de la bataille des vampires, qui attendaient leurs funérailles pour qu'on les loge dans un cercueil.

Dès que je l'avais aperçue, ma gorge s'était nouée et les larmes m'étaient montées aux yeux. Il m'avait été impossible d'échapper aux sanglots et aux douleurs que cela avait provoquées à ma poitrine. Je m'étais désespérément accrochée à Sir pour trouver du réconfort. Derrière mes barrières de glace, j'entendais les elfes s'acharner, mais je savais qu'il leur faudrait au moins une heure avant de nous atteindre.

Sir s'était approché et je pouvais mieux la discerner. On l'avait vêtue d'une robe blanche et ses cheveux avaient été dénoués. Ce qui faisait ressortir le gris foncé de sa peau. Des roses blanches avaient également été glissées sous ses mains, croisées sur sa poitrine. Elle mariait alors la grâce froide de la statue à la fragile beauté de la fleur. Et elle paraissait tellement paisible...

Sir, les yeux humides, avait entonné le chant des morts de son époque, et JA s'était glissé entre mes bras pour tenter de me consoler. J'avais moi-même posé une main sur l'épaule tremblante de mon frère en signe de soutien. Le pauvre s'était complètement laissé aller contre l'autel et pleurait toutes les larmes de son corps.

Nous étions restés ainsi un long moment. Jusqu'à ce que je sente que ma glace ne tiendrait pas beaucoup plus longtemps.

J'avais demandé à Sir de m'approcher, afin que je puisse poser la main sur celles de Nellina.

— Merci pour tout, Nelly... Bon repos, mon amie...

— Maman…, tu sais que l'elfe est morte, hein ?

Ma gorge s'était nouée de plus belle, et j'avais ignoré l'intervention de JA.

— On doit y aller… Prenez vos médaillons, les gars… Ah non ! J'oubliais les jumeaux !

— Ne t'en fais pas pour ça… m'avait rassuré Sir. Je suis retourné examiner le château, pendant votre convalescence. J'ai mis tous mes talents de pisteur à l'épreuve et j'ai même utilisé les… particularités de JA et interrogé Pépin… Lorsque nous avons mis les pieds dans ce château pour la première fois, c'était également la première fois depuis des siècles que quelque chose de « vivant » entrait là… Ça, plus leur absence de la bataille…, je crois que l'on peut affirmer qu'ils n'ont jamais mis les pieds dans cette époque… Mais…

— Tu dois avoir raison… On y va…

Sir avait opiné et s'était éloigné un peu. J'avais vu mon frère appuyer son front sur celui de sa compagne et lui murmurer quelques mots, les larmes aux yeux et lui caressant les cheveux, avant de déposer un ultime baiser sur son front. Il s'était ensuite reculé de quelques pas, puis avait saisi son médaillon et prononcé la formule à haute voix, les yeux toujours rivés sur celle qu'il aimait. Mes mots et ceux de Sir avaient rapidement fait écho à ceux de mon frère, et l'étrange sensation d'inexistence nous avait ramenés 3500 ans plus tard.

❉ ❉ ❉ ❉ ❉

Je ne peux m'empêcher de verser quelques larmes, lors de ces douloureux souvenirs. Nous n'avions certainement pas laissé une très bonne impression de nous à cette époque, mais cela n'avait pas empêché les elfes de se mêler au reste de la population, car ils avaient survécu jusqu'à nos jours.

À notre retour, mon frère et moi avions perdu connaissance ; déjà fatigués par l'utilisation de nos pouvoirs et par nos pleurs, le voyage nous avait vidés. À mon réveil, mes côtes avaient été guéries, sans doute par ma mère, mais mon mal de tête persistait et j'avais eu la drôle de surprise de me retrouver face à un elfe inconnu !

Que nous ayons débarrassé les elfes des vampires les a fait prospérer, et ils forment aujourd'hui le quart de la population du dôme. L'étroite connexion que cette race a toujours entretenue avec la nature a grandement amélioré le sort de l'humanité. La grande pollution a été retardée d'environ 500 ans. Le dôme a aujourd'hui une superficie cinq fois supérieure à celle que j'avais toujours connue. Des usines amoindrissent les tâches des descendants des dragons en purifiant l'air et l'eau et en produisant de la chaleur et de l'énergie. De vrais fruits et légumes sont cultivés dans des serres, et l'élevage est pratiqué. On a même le droit d'avoir des animaux de compagnie. Mon frère a un serpent, Braise, et moi un chat blanc aux yeux verts que j'ai supposément nommé Saphir, lorsque je l'ai reçu, il y a 10 ans…

Voilà un problème auquel nous n'avions pas pensé. Nous savions que les modifications que nous causions à certaines époques allaient immanquablement modifier la nôtre, et c'était même le but de la chose, mais nous n'avions pas pensé aux répercussions sur notre passé personnel.

Or, je ne peux pas faire un pas hors de chez moi sans me faire saluer par des elfes, des humains ou des demi-elfes qui se disent mes amis alors que je les vois pour la première fois. J'ai même cru faire une crise cardiaque quand Jonathan Hirst est passé devant moi. Un de mes amis d'enfance que j'avais vu mourir d'une maladie pulmonaire quelques années plus tôt.

Dès que nous sommes revenus dans notre appartement, nous avons eu la mauvaise surprise de découvrir qu'il n'était pas celui que nous avions quitté. En plus d'être situé dans une autre partie de la ville, il est plus grand, les meubles sont différents, les armoires sont garnies d'aliments inconnus, les murs sont placardés de photos desquelles je n'ai aucun souvenir, et deux animaux nous y attendaient. En entrant dans ma chambre, j'ai été immensément soulagée de retrouver ma vieille armure, l'ancien sifflet de Sir et mes statuettes de glace, bien que le reste, maintenant peinturé en bleu, me fasse un drôle d'effet.

Pour confier mes angoisses, j'ai eu une longue discussion avec ma mère, pendant laquelle elle m'a attribué des actes qui n'ont jamais été les miens, comme sortir avec un demi-elfe nommé Hirol ou geler le stade en entier pour en faire une patinoire, le jour de mon 45e anniversaire. J'ai dû me retenir tout le long pour éviter de pleurer.

Il faut se rendre à l'évidence : ce monde n'est plus le nôtre, c'est celui que nous avons créé. Nous avons sacrifié notre époque pour la sauver. Désormais, nous ne sommes plus chez nous nulle part… La prochaine fois que nous quitterons le dôme, je sais que ce sera pour ne plus y revenir avant d'avoir complètement terminé notre mission. Et à ce moment-là, nous devrons repartir à zéro pour nous construire une nouvelle vie, ce que nous aurons connu jusqu'alors n'ayant jamais existé.

Ce triste constat, associé à la mort de Nellina, qui plane encore autour de nous, rend l'ambiance insupportable, à la maison. Mais Iref et moi préférons encore ça à l'environnement à la fois familier et inconnu qu'est devenu le dôme. Sir, pour qui ce n'est qu'un monde d'adoption, s'est rapidement adapté. Il passe la plupart de ses journées en compagnie des siens, afin de comprendre de quelle manière son peuple a évolué. Mais JA est le seul qui est réellement joyeux de ce retour. Il suit son père partout, afin de découvrir cette époque et, à ce qu'on dit, il fait la joie des curieux et des chercheurs.

Je me redresse et me lève du lit. Toujours aucune réaction de mon frère, il veut décidément rester seul. Alors que Saphir me passe entre les jambes en quémandant une caresse, je l'ignore et me dirige vers la porte, quand un murmure attire de nouveau mon attention vers Iref :

— Je comprends maintenant pourquoi après chaque voyage, tu t'enfermais dans ta chambre pendant une semaine ou deux… Je n'avais jamais vu la solitude sous cet angle… Ça fait du bien de réfléchir tranquille…

Il se redresse. Les cheveux hirsutes, le regard vide et cerné, il fixe le mur qui lui fait face. Puisqu'il n'a pour pyjama qu'un pantalon, je remarque tout de suite le large bracelet de cuir noir orné d'une flamme d'or qui lui pare nouvellement le poignet droit.

Un long silence s'ensuit, aucun de nous deux ne bouge, ni ne parle. J'attends.

— Elle savait… finit-il par dire. Elle savait qu'elle allait mourir…

Lourde de sens, la phrase reste suspendue dans la pièce.

J'acquiesce en silence, me retenant de répondre que je le savais déjà. Après sa mort, les quelques souvenirs flous de sa mémoire se sont clarifiés et j'ai pu comprendre que son décès lui avait été annoncé avec la prophétie de notre arrivée. Pendant 15 ans, elle s'était préparée à sa mort, qui libérerait son peuple. Mais rien n'avait pu la préparer à ce que Cupidon avait orchestré. Elle était tombée amoureuse de mon frère, et la pensée qu'elle devrait le quitter d'une manière aussi brusque et horrible l'avait complètement chamboulée. Mais pour la première fois, elle avait connu le bonheur.

— C'est… C'est ce qu'elle m'a dit… J'ai encore ses paroles qui me résonnent dans la tête… « C'est terminé, mais je le savais… Je m'y suis préparée… J'ai confiance en toi… Mon amour… Je serai… toujours près de toi… Je t'aime… »

— Iref…

Mon frère serre les dents et verse quelques larmes. Je reviens m'asseoir près de lui pour lui prendre la main et appuyer la tête sur son épaule. Une fois moins crispé, il lève sa main gauche à la hauteur de son visage. Je remarque alors qu'il y tient un papier froissé, sur lequel je reconnais l'écriture de Nellina.

— Et puis, il y a eu cette lettre… Elle était dans le sac que tu m'as donné…

À sa voix, je sens que sa gorge se noue, mais il continue :

— Elle dit qu'elle m'aime de tout son cœur et que son seul regret est de ne pas pouvoir vivre à mes côtés… Elle y dit aussi qu'elle s'est arrangée pour « garder un œil sur moi… » Il y avait aussi ce bracelet, dans le sac…

Il se penche sur son poignet et y dépose son index. À ma grande surprise, il enflamme ensuite le bout de ce dernier, posé sur le motif d'or, et le bruit d'un léger mécanisme se fait entendre. Il éteint et retire ensuite son doigt. Je vois l'ornement s'ouvrir comme un médaillon, dévoilant de longs filaments d'un blanc de lune repliés dans le minuscule compartiment, des cheveux de Nellina. Mon frère les effleure avec une douceur tremblante, puis referme brusquement le bracelet. Il continue ensuite d'une voix vacillante :

— Elle m'a aussi parlé de toi…

Étonnée, je regarde mon frère, qui s'est tourné vers moi. Sans clarifier ses propos, il me regarde un instant, puis sans prévenir, me prend dans ses bras.

— Merde… Nos propres parents ne nous connaissent plus… S'il n'y avait pas toi et ces foutus jumeaux à rattraper, je crois bien que…

Il coupe sa phrase en déglutissant. Me libérant et retournant fixer le mur, il continue :

— Tu sais…, j'attendais la fin de la bataille pour… pour prendre une décision, mais…

Il soupire en baissant les yeux.

— Je ne savais pas trop quoi faire… Nellina était quelqu'un d'important pour son peuple… Je ne pouvais pas décemment lui demander de vagabonder d'une époque à l'autre avec moi… Alors je… j'ai sérieusement songé à…

— … à rester avec elle à la Renaissance ?

Silence.

— Il y avait quoi dans ton sac, toi ? lance-t-il tout à coup.

— Je n'ai pas encore eu le courage de l'ouvrir… réponds-je en baissant les yeux.

Nouveau silence. Mon frère observe maintenant le plafond. Je me dégage de nouveau du lit pour partir, je ne veux pas pleurer devant lui, mais je sens que je vais craquer. Je suis rendue à la porte quand il ouvre encore la bouche :

— Je ne veux pas que tu te prives pour moi…

— De quoi tu parles ?

— Avec Sir… Je ne veux pas que ça change… Même quand je suis dans le coin, je ne veux pas que vous changiez vos habitudes…

— Compris…

— Et, Dragma…

— Oui ?

— J'aimerais que tu m'en fasses une… avec son joli sourire…

— Tout ce que tu veux, frérot…

Je sors de la chambre de mon frère les yeux humides et la gorge nouée. Une fois seule, je reprends mon calme et m'empresse d'accéder à sa demande. La statuette prend rapidement forme sous mes doigts. L'utilisation de ma magie et le travail de la glace m'apaisent et me détendent un peu. Mais dès que j'ai terminé, j'éclate en sanglots sous le regard paisible du dernier oracle.

❊ ❊ ❊ ❊ ❊

Sir respire bruyamment et son torse nu est couvert de sueur.

— Adria…, je t'en prie… Arrêtons ça là… Je n'en peux plus…

— Allez, Sir! Une dernière fois! Fais-moi confiance! Tu l'as promis! Fais un dernier effort…

Sir grogne et reprend le rythme qu'il venait de ralentir. Deux minutes plus tard, il s'écroule, complètement épuisé.

Inquiète, je me tourne vers le docteur, qui acquiesce, puis me précipite pour aller le libérer de la bulle de verre dans laquelle il court sans relâche depuis bientôt deux heures. Une infirmière m'aide à lui retirer les électrodes dont il est couvert et à le porter sur une civière. Une équipe lui fait ensuite des prises de sang, lui examine les yeux à la loupe, bref, lui fait un examen complet avant de l'emmener.

— Vous retournez lui faire un scanneur ?

— Bien évidemment ! Il nous faut comparer les résultats avant et après l'exercice, si vous voulez connaître les effets de cette puce. Elle est vraiment incroyable, par contre ! N'importe qui d'autre serait tombé de fatigue après 20 minutes de cette cadence, tout au plus !

— Moi, ce que je veux connaître, ce sont les effets à long terme, doct…

Je suis interrompue par une sonnerie à mon poignet. Je m'excuse, appuie sur le bouton vert et parle :

— Allo ?

— Mademoiselle Adria, ici Ogytad. J'ai su que vous étiez au bâtiment des sciences, aujourd'hui. Vous pouvez faire un saut à la section spatio-temporelle ?

Nous avons fait une découverte qui risque de vous intéresser…

— Un instant, s'il vous plaît. Docteur, les examens de Sir vont durer combien de temps ?

— Il nous faut compter une heure pour le scanneur et une autre heure pour les premiers résultats, mais ce n'est que dans trois heures que nous aurons toutes les données.

— Et vous êtes sûre qu'avec un peu plus de temps pour m'examiner…

— Je vous l'ai déjà dit, mademoiselle… Je suis incapable de déterminer les causes de votre migraine et je peux vous garantir que ce ne sont pas quelques examens de plus qui vont me permettre d'y trouver un remède !

— Bon, ça va, j'ai compris ! Je reviens dans trois heures, alors… Laissez Sir se reposer, en attendant. J'arrive, Ogytad.

— Nous vous attendons, mademoiselle.

La transmission est interrompue, et je sors de la section médicale pour me rendre à la section spatio-temporelle.

— Tu n'es qu'un idiot! Tu me l'avais promis!

— Non! Je suis simplement pragmatique! Et je t'avais promis de le faire si c'était «trop dangereux»! On est loin du «trop dangereux», là!

— Un idiot imbécile et suicidaire! Voilà ce que tu es!

— Pour la dernière fois, Adria! C'est mon corps, ma vie! J'en fais ce que je veux!

— Grrr… Qu'est-ce qui nous vaut une scène de ménage, ce coup-ci?

Iref, les yeux toujours cernés et les cheveux en bataille, vient de s'extirper de sa chambre, le dos courbé par la fatigue et visiblement de mauvaise humeur. Je me mords la lèvre inférieure, de gêne. Il peine à dormir depuis notre retour et, apparemment, nous venons de le tirer du sommeil dans lequel il avait enfin réussi à se plonger.

Sir et moi revenons du bâtiment des sciences avec les résultats des tests pour la puce. Le médecin a conclu que la puce bloque les émissions du cerveau qui visent à réguler les efforts du corps et, donc, à le garder dans une forme optimale le plus longtemps possible. Lorsque Sir utilise la puce, son corps subit une demande qui va au-delà de ses capacités régulières, en demande donc plus à ses cellules, qui, pour accéder à la demande, doivent s'infliger un vieillissement accéléré. Résultat : Sir vieillit quatre fois plus vite qu'il ne le devrait. Étant un elfe, il vieillissait autrefois au rythme de 20 années humaines pour une année d'elfe. Avec sa puce, ce ratio est maintenant de cinq années humaines pour une année. Ayant moi-même à vivre trois années humaines avant que l'on puisse considérer que j'ai un an de plus, Sir a décidé de garder la puce telle quelle, afin d'être plus près de moi et de me « survivre » moins longtemps (de ses propres mots).

Bien entendu, je désapprouve l'idée et insiste pour qu'il se la fasse enlever au plus tôt. Mais monsieur reste sur ses positions. Ça me met mal à l'aise… Il modifie littéralement sa vie et son corps en fonction de moi… Vitesse et force pour m'être utile dans ma quête, et vie écourtée pour vieillir près de moi…

Pendant que Sir explique la situation et la raison de notre désaccord à mon frère, je vais dans la cuisine me prendre un verre d'eau. J'y croise JA, en train de «bavarder» avec Saphir et Braise. Le serpent a enroulé ses anneaux autour de la taille et du cou du robot, et le chat assis en face de lui laisse échapper d'occasionnels miaulements devant les bruits incongrus de l'androïde.

Plutôt que recueillir l'eau du robinet dans un verre, je me mets carrément la tête sous le robinet. Ce contact avec mon élément me fait du bien. Voilà bientôt une semaine que nous sommes revenus, et j'ai toujours un nain qui tente de creuser une galerie dans mes tempes. Si cela ne cesse pas bientôt, je vais devenir dingue!

— Aïe !

Une espèce de décharge électrique me traverse la tête et l'œil, puis la migraine cesse tranquillement. Abasourdie, je relève la tête et fixe le mur qui me fait face un instant. Cette douleur m'est familière…

Mais bien sûr ! L'échange de souvenirs avec Nellina ! C'est là que tout a commencé ! Si j'avais su la durée des effets secondaires… Quel bien fou cela fait, d'être de nouveau maître de sa tête !

Je soupire de soulagement.

— Dans cette histoire, ma sœur est une vraie tête de linotte… Elle refuse d'accepter que ce que fait Sir, c'est pour elle, et qu'il n'en démordra pas…

Énervée par les paroles de mon frère, je retourne précipitamment dans le salon.

— Hé, ho ! La tête de linotte a tout entendu, et tu ferais mieux de ne pas l'encourager, frérot !

— M'encourager ? Mais, Adria…, il n'a rien dit depuis…

Sir se retourne vers moi et écarquille les yeux de stupeur. Iref pour sa part, a carrément un mouvement de recul et me regarde en tremblant.

— Je… Je deviens fou… J'hallucine… Je… Je perds la tête…

— Dans ce cas, on est deux, cher beau-frère… articule Sir en essayant vraisemblablement de garder son calme. Adria…, ton œil…

— Quoi ? Quoi, mon œil ? Vous me faites peur, les gars… Qu'est-ce qu'il a, mon œil ?

— Il est vert… Comme ceux de…

— Nellina… lâche Iref.

— QUOI ?

Je me précipite dans la salle de bain et plonge mon regard dans la glace. Mon reflet me renvoie l'image d'une jeune fille aux cheveux noirs détrempés et à la mine inquiète, qui fixe son œil désormais émeraude.

— Ah !

À la vue de ce nouvel œil, j'ai l'impression qu'un millier d'aiguilles chauffées à blanc se creusent un nid dans mon cerveau. Le mal est horrible, mais ne dure qu'un temps. Et l'image de Nellina qui me tend en souriant un sac bleu, brodé d'un dragon mauve à grandes ailes perché sur un pic de glace immergé dans la mer, m'apparaît clairement.

Une sensation d'extrême urgence m'oppresse maintenant le crâne et la poitrine. La respiration saccadée et les épaules tremblantes, je jette un nouveau coup d'œil à mon reflet en murmurant :

— Mais qu'est-ce que tu m'as fait, Nelly...

Je sors de la salle de bain et passe en coup de vent devant les garçons, qui me regardent, inquiets, pour aller me barricader dans ma chambre. Je saisis en tremblant le sac offert par ma défunte amie, le même que j'avais donné à mon frère quelques jours plus tôt, mais brodé d'un dragon rouge.

Renversant son contenu sur mon lit, je découvre un talisman antivision, un capteur de vision, une lettre et deux bouteilles, une petite et une grosse. J'empoigne le document d'une main, dont je m'efforce

d'arrêter les frissons. Le papier est
constellé de larmes séchées.

Chère Adria,
Chère amie,

Je t'écris ces lignes alors que tu te remets du choc du transfert. Quand tu les liras toi-même, tu auras compris qu'il ne s'agissait pas seulement d'échanger nos souvenirs, mais également que je te fasse don de mes pouvoirs. Un peu de mon sang coule dorénavant dans tes veines. Pour savoir comment apprivoiser tes pouvoirs, fouille dans mes souvenirs.

Il est certain que tu auras reçu mes dons de voyance, ce sont même certainement eux qui t'ont menée à cette lettre, mais bien que j'aie tenté de te donner le plus de pouvoirs possible, j'ignore si d'autres te seront parvenus. Tu ne seras jamais vraiment un oracle, mais maintenant que j'ai disparu, tu es ce qui s'en rapproche le plus.

Pardonne-moi pour ce mensonge. Mais si tu avais été au courant, j'imagine que tu te serais posé d'autres questions qui auraient pu t'amener à découvrir ce que me réserve l'avenir, et je ne l'aurais pas supporté. Il m'est déjà assez dur de me faire à l'idée que cette nuit est ma dernière, sans que j'aie à l'expliquer à quelqu'un d'autre.

J'imagine que le transfert et l'incubation de tes nouveaux pouvoirs ont dû t'être pénibles. Pardonne-moi encore pour cela. Si j'ai fait ce que j'ai fait, c'est pour plusieurs raisons : je me refusais notamment de partir sans laisser derrière moi un peu de l'oracle que j'ai été et qui ne sera jamais plus. Ensuite, je voulais te faire ce cadeau, car je savais que ces pouvoirs te seraient utiles, et même plus que tu crois ; ils te seront essentiels. Il était écrit que nous nous rencontrerions et procéderions à ce rituel. Et, pour terminer, je voulais laisser un peu de moi près de ton frère. D'une certaine manière, désormais, je garderai toujours un « œil » sur lui… Mais ne t'inquiète pas, d'après ce que j'ai vu, ce changement ne diminue en rien ta beauté et te va même très bien.

Le sac que je t'ai donné contient également un capteur de vision et un talisman antivision, dont je t'ai déjà expliqué le fonctionnement. Maintenant que tes pouvoirs se sont réveillés, ils vont t'être particulièrement utiles. Les deux bouteilles contiennent toutes deux des potions créées spécialement pour les oracles. La grosse bouteille bleue est un puissant remède contre les effets secondaires causés par les premières visions. Après tes premiers actes de clairvoyance, prends une petite gorgée de son contenu pour apaiser tes maux de tête et autres symptômes. Si tu doses bien, tu devrais en avoir assez jusqu'à ce que ton corps s'habitue à ces nouvelles capacités. Quant à la petite bouteille verte, une goutte de son contenu provoque les visions. Mais attention! Non seulement on ignore ce que la vision va montrer, mais elle est aussi très douloureuse, que l'on soit novice ou expérimenté. Malheureusement pour toi, tu vas devoir en faire l'expérience dès maintenant.

Il y a tant de choses que j'aimerais te dire, mais je sais qu'alors que tu lis ces lignes, ton temps est compté. Souviens-toi simplement de ce que je t'ai dit : quand on a le pouvoir de voir l'avenir, il y a parfois certaines choses que l'on doit taire ou faire, si l'on veut que tout se passe pour le mieux.

Il arrive que ce soit un grand poids à porter, mais quelqu'un doit payer ce prix, et ce fardeau te revient, maintenant. L'avenir de ton monde et de toutes les époques est entre tes mains, plus que dans celles de quiconque.

Bonne chance,

Merci encore pour tes souvenirs, ta présence, ton amitié.

Veille bien sur Iref, s'il te plaît. Sans oublier Sir et JA.

Et maintenant, bois, pour une fois, je peux te garantir que la vision apportée sera la bonne.

Nellina

Je retourne vainement la lettre, complètement désorientée. Elle en dit à la fois trop et pas assez.

Je tente de mettre de l'ordre dans mes idées. Que faire? C'est complètement dingue! Je commence à me remettre de sa mort et on m'apprend qu'elle m'a donné certains de ses pouvoirs? En plus, notre temps serait compté? Qu'a-t-elle voulu dire par là?

Indécise, je fixe la fiole verte.

— Oh et puis zut!

Avant de changer d'idée, j'attrape violemment le flacon, fais sauter le bouchon et porte résolument le goulot à mes lèvres. Dès que j'ai avalé une goutte, je me dépêche de reboucher et de déposer le contenant. Les dents serrées, j'appréhende la vision et la douleur annoncée.

Le résultat ne se fait pas attendre, aussitôt, ma tête me donne l'impression d'imploser à répétition, et des images défilent rapidement, mais clairement, devant mes yeux. Je sens que je tombe de mon lit pour atterrir durement sur le sol.

— Adria! C'est quoi, ces cris? Qu'est-ce que tu fous? Ouvre-nous, à la fin! Adria!

Iref et Sir tambourinent sur la porte, que j'ai verrouillée. J'ai la sensation que ma tête tombe en morceaux, mon cœur se débat dans ma poitrine, et je tremble de tous mes membres. Après être restée figée quelques secondes, je remonte en me traînant sur le lit et attrape la bouteille bleue. Mes mains sont prises de convulsions incontrôlables, me faisant renverser du liquide alors que je fais sauter le bouchon pour en boire une gorgée.

Immédiatement, mes muscles se détendent, et une sensation de bien-être m'envahit. Je me laisse aller sur l'édredon, jusqu'à ce que mon muscle cardiaque reprenne un rythme normal.

La pause est de courte durée.

— Adria ! Je te préviens, si tu n'ouvres pas cette porte dans 30 secondes, je la défonce !

Me redressant, je forme une petite flé-chette de glace dans ma main et l'envoie sur l'interrupteur, qui déverrouille la porte et permet aux deux beaux-frères d'entrer. Je ne leur laisse pas le temps de parler :

— Les gars…, préparez vos bagages… On a moins de deux heures pour quitter le dôme et ne plus y revenir…

❋ ❋ ❋ ❋ ❋

— Nellina a fait quoi ?

Nous nous dirigeons présentement en aérostat vers le bâtiment des sciences. J'ai caché le plastron de mon armure sous un vêtement blanc. Pour seul bagage, j'emporte le sac de Nellina et son contenu, mes brassards de cuir, le vieux sifflet de Sir, mon couteau, quelques vêtements et de la nourriture. Dans l'urgence, les gars se sont à peu près contentés des mêmes objets : nourriture et vêtements pour les deux, les cadeaux de Nellina pour Iref, et son arc argenté, ses flèches et sa Plume d'oie pour Sir.

— Elle a donné une partie de ses pouvoirs à maman. Je ne trouve rien de tel dans ma base de données ou dans celle de cette époque, mais c'est bien ce que maman a dit ! C'est bien ça, Ma ?

— Oui, JA, tu as tout compris... Tu as ton dispositif holographique ?

— Oui, Ma ! lance fièrement JA en montrant sa ceinture agrémentée de petits projecteurs.

— Bon d'accord, mais pourquoi on doit partir ? grogne Iref.

— Ce serait trop long à… On y est ! Il nous reste moins d'une demi-heure ! Vite !

Je n'attends même pas que mon frère stationne son engin que je saute sur la plate-forme d'atterrissage. Le gardien, légèrement étonné de ma précipitation, me salue et s'avance pour les formalités. Il n'a pas fait deux pas que je le gèle sur place. Sir est scandalisé :

— Mais… pourquoi as-tu fait ça, Adria ?

— Nous avons des armes, il ne nous aurait pas laissés passer et nous aurions perdu du temps ! Grouillez-vous !

Nous passons les portes sous le regard étonné des réceptionnistes, qui, devant la congélation du gardien, ont donné l'alerte. En moins de temps qu'il n'en faut pour le dire, ils se retrouvent tous statufiés. Mon frère commence lui aussi à s'inquiéter au sujet de ma santé mentale :

— Mais qu'est-ce qui te prend, Dridri ? Arrête ça !

— On n'a pas le temps de répondre aux questions ! Fermez-la et suivez-moi !

On n'a pas de temps à perdre! Chaque seconde compte!

J'emprunte à la course un couloir dans lequel une flopée d'agents de sécurité font irruption. Je les plaque violemment contre le mur au moyen de puissantes bourrasques et, dès que nous les avons dépassés, protège notre avancée d'un épais mur de glace.

Nous sommes ensuite relativement tranquilles jusqu'à ce que nous atteignions l'aile désirée. À ce moment, un obstacle inattendu se dresse devant nous :

— ADRIA! IREF! J'IGNORE À QUOI VOUS JOUEZ, MAIS SI VOUS FAITES UN PAS DE PLUS, JE VOUS TRANSFORME EN DRAGONS ÉLECTRIQUES! JE ME FAIS BIEN COMPRENDRE?

Je suis forcée d'arrêter ma course.

— Merde! L'oncle Damien!

Il a toujours été très ami avec les scientifiques et traîne souvent dans le bâtiment des sciences, mais je ne m'attendais vraiment pas à tomber sur lui aujourd'hui.

Le corps élancé, les cheveux blonds et les yeux jaunes, l'oncle Damien a hérité des pouvoirs des dragons de foudre. Nous sommes très mal! Ma glace est presque sans effet sur les autres descendants des dragons, et la foudre est plus rapide que le feu... Le temps presse... Moins de 20 minutes...

Je déglutis difficilement et, ne voyant pas d'autre solution, je forme un énorme boulet de glace que je lui envoie en pleine tête. La surprise l'empêche de réagir. Il le reçoit sur le front et un horrible craquement se fait entendre avant qu'il s'écroule au sol. Serrant les dents, je passe près de mon oncle inconscient pour aller ouvrir la porte du laboratoire Z-8, quand un immense mur de flamme se dresse devant moi. Je me retourne vers mon frère, qui irradie de colère. JA est penché sur mon oncle et Sir est figé par l'incompréhension.

— Mais par le feu des enfers, Dridri! Qu'est-ce qui te prend? Tu... Qu'est-ce qui se passe, à la fin?

— Bip, bip! Maman! Papa! Grand oncle Damien va mourir, si on ne le soigne pas tout de suite! Il faut l'aider!

D'un geste, je congèle mon oncle.

— Voilà, comme ça, son état ne s'aggravera pas avant qu'on le soigne! Iref, laisse tomber ton feu! Le temps presse!

Pourtant, il maintient sa barrière devant la porte.

— Le temps presse! Le temps presse! Tu n'as que ces mots-là à la bouche! Explique-toi un peu plus! On ne bougera pas de là avant!

Un grognement s'échappe de ma gorge. Je jette un coup d'œil à ma montre : moins de 15 minutes!

— Je... Nous... On n'a pas le temps pour ça!

— POURQUOI? rugit Iref.

— PARCE QUE J'AI EU UNE VISION GRÂCE AUX POUVOIRS DE NELLINA ET QU'ON VA TOUS CREVER SI ON N'A PAS QUITTÉ CETTE ÉPOQUE DANS 12 MINUTES! VOILÀ POURQUOI! T'ES CONTENT?

Mon frère laisse retomber son mur de feu, abasourdi.

— Que… Comment…

Je l'ignore et me précipite sur le clavier brûlant pour composer le code d'accès. Je dois aussi présenter ma rétine au scanneur. Une fois la porte ouverte, je congèle rapidement les quelques scientifiques et techniciens qui continuent leur travail malgré l'alarme enclenchée et me dirige rapidement vers une salle adjacente, où je sais que je vais trouver ce que je cherche.

— Alors, si je comprends bien…, on risque la prison à vie pour une vision…

— Écoute, Nelly m'a demandé de te protéger, mais tant qu'à mourir avec toi, je préfère sauver mes fesses ! Alors, viens et fais-moi confiance, pour une fois !

Recouvrant mon bras d'une glace épaisse, je m'empresse de faire éclater les deux dômes de verre qui protègent les cubes métalliques et arrache les fils auxquels ils sont branchés. Les garçons me rejoignent.

— Tu… Tu es vraiment sérieuse ? balbutie Sir.

— Qu'est-ce que tu crois ? Il te reste de la place, dans ton sac ? Prends ça !

Je lance l'un des cubes à mon frère alors que je me penche sur l'autre pour y entrer les données de notre destination.

— C'est quoi, ça ? demande curieusement JA en regardant son oncle fourrer l'appareil dans son bagage.

— Machine à voyager dans le temps portative, dis-je tout en restant concentrée sur ma tâche.

— Quoi… ? Mais comment est-ce possible ? articule Sir. Les autres étaient énormes !

— Les jumeaux utilisaient un appareil semblable pour communiquer avec leur ancêtre dragon noir, dans le passé. Les scientifiques sont tombés dessus et l'ont amélioré… Mais je ne crois pas qu'ils seraient arrivés à ce résultat aussi vite, si la plupart d'entre eux n'avaient pas été des elfes… Ogytad m'en a parlé cet après-midi alors que Sir se faisait examiner. Il m'a expliqué leur fonctionnement et tout… Elles n'ont besoin d'aucune recharge, car leur noyau est un concentré d'énergie nucléaire et magique. Le hic, c'est qu'elles n'ont jamais été testées… Mais je sais qu'elles vont fonctionner!

— Mais pourquoi en prendre deux, Ma? Une, ce n'est pas suffisant?

— Juste une assurance… C'est prêt! Plus que deux minutes! Mettez vos mains sur les carrés, vite!

Le bloc s'élève par lui-même dans les airs et commence un compte à rebours. Les gars m'imitent sans objection et appliquent leurs mains sur les larges carrés verts de la machine, et JA s'accroche à la tête de son père.

À la fin du compte à rebours, je sens que mon bras est désormais collé à la machine et qu'il ne s'en dégagerait pas, même si je le voulais. Nous avons alors la surprise de nous élever dans les airs avec le dispositif. Une membrane bleue et brillante s'échappe de l'engin et nous entoure pour nous emprisonner dans une sphère aveuglante, qui semble se mettre à tourner. Un sifflement aigu se fait entendre, mais la voix de mon frère parvient à le couvrir :

— Adria! Où va-t-on, comme ça?

— Rejoindre les jumeaux dans la Grèce antique!

— La Grèce antique? s'exclame JA. L'époque des dieux, des satyres, des centaures, des nymphes, des harpies, des…

— Il est sérieux, là? lance Sir, blême comme un vieux fromage.

J'acquiesce distraitement. J'accueille avec soulagement l'habituelle sensation de vide absolu qui accompagne tous les voyages dans le temps. Car quelques secondes plus tard, nous aurions connu le même sort que le dôme : happés dans le néant de l'inexistence par les actions destructrices des jumeaux aux alentours de l'an 500.

À suivre...

La lignée des dragons

Tome 1

Tome 2

Tome 3

www.ada-inc.com
info@ada-inc.com